Jean-Paul Richard
2023 Foresdale Dr
Maryland, 20783
Tan 1992

Une merveille du monde

Le Pont de Québec

Couverture:
Photographie: W.B. Edwards Inc.

Composition et mise en pages:
Helvetigraf enr.

ISBN 2-89084-039-5

Michel L'Hébreux

Une merveille du monde

Le Pont de Québec

son historique
sa technique de construction
ses effondrements
ses reconstructions

Les Éditions La Liberté
3020 chemin Sainte-Foy
Sainte-Foy, Québec G1X 3V6

LECTEUR, pour vivre bien content,
Lisez pour apprendre à bien vivre,
Et ne perdez point votre temps,
À chercher les fautes d'un livre;
Il n'en est point de si parfait,
Où vous ne puissiez reprendre;
Il n'en est point de si mal fait,
En qui vous ne puissiez apprendre.

Jean de La Rivière (1721)

DÉDICACE

À mon épouse Nicole,

*À mes filles Josée, Marie-Pierre et
Pascale*

*à qui je devrai toujours
le temps qu'il m'a fallu
pour écrire cet ouvrage!*

Remerciements

Je voudrais remercier les personnes suivantes qui m'ont apporté leur précieuse collaboration sous différentes formes tout au cours de la rédaction de ce volume.

Par ordre alphabétique:

Georgette Carrier
Georges Charest
Denis Chouinard
Raymond Drolet
Robert Garon
Colette Gingras
Nicole G. L'Hébreux
Hélène Goulet
Jeannine Guèvremont
Francine Parent
Jacques Roy

... ainsi qu'aux nombreuses personnes qui m'ont apporté une aide ponctuelle.

AVANT-PROPOS

Au IIIe siècle avant Jésus-Christ, le grec Philon de Byzance rédigea un document dans lequel il décrivait ce que les Anciens avaient pris l'habitude de qualifier de «Sept merveilles du monde». Dans cette nomenclature on retrouve ainsi sept monuments exceptionnels dont la conception et la réalisation témoignent du génie humain le plus puissant qui puisse exister. La liste énumérée par Philon de Byzance mentionne au rang de merveilles du monde:

1- Les pyramides d'Égypte
2- Les jardins suspendus de Babylone
3- La statue de Zeus à Olympie
4- Le Colosse de Rhodes
5- Le Mausolée d'Halicarnasse
6- Le Temple d'Artémis à Ephèse
7- Le Phare d'Alexandrie en Égypte

Au début du XXe siècle, les promoteurs de la construction du pont de Québec, devant l'énormité de la tâche à réaliser, mentionnaient qu'une fois terminé, ce pont pourrait être qualifié de huitième merveille du monde. C'est ainsi que le qualificatif fut répété par tout le monde et imprimé généreusement dans les journaux du temps.

On se rendait plus ou moins compte que l'on venait de sauter deux mille ans, enjambant l'Histoire ancienne, le Moyen Âge, les Temps Modernes, pour reprendre le compte des merveilles dans l'histoire contemporaine avec le pont de Québec. Pour être honnête, l'on doit cependant dire que Larousse accepte l'appellation de «huitième merveille du monde» pour un édifice qui inspire une très vive admiration.

À ce titre, le pont de Québec n'a rien à envier aux autres «huitième merveilles du monde», si l'on pense un instant que pour la première fois dans l'histoire, on demandait au système dit «cantilever» de décrire un arc de mille huit cents pieds entre deux uniques piliers.

Michel L'Hébreux

9

Avertissement

L'histoire du Pont de Québec est fascinante. Dès ma tendre enfance, j'avais déjà bien entendu parler de ces anecdotes savoureuses reliées au pont et à ses catastrophes. Sa photo d'ailleurs occupait une place d'honneur dans la salle à manger familiale et tous les visiteurs qui venaient à la maison ne manquaient pas d'exprimer leurs remarques et commentaires. Tout ce qui se disait à son sujet était-il véridique? N'y avait-il pas exagération comme cela se produit parfois dans la tradition orale?

Un jour, je décide d'aller aux sources et je poursuis mes propres recherches. La curiosité m'emporte. Plus j'en apprends, plus j'ai le goût d'en savoir davantage. Cela dure depuis une quinzaine d'années.

Au cours de toutes ces années de recherches, j'ai partagé mes découvertes en réalisant un diaporama. D'abord effectué à l'intention de mes proches, ce premier diaporama suscite rapidement l'engouement de la communauté locale. Les invitations pour faire connaître l'histoire du pont se multiplient rapidement. Bientôt, l'intérêt pour le sujet déborde la région à la suite de certaines présentations télévisées. J'ai encore à l'esprit ce bon vieux monsieur de Val D'Or qui débarque chez moi un jour après s'être disputé avec ses amis au sujet du pont. Il m'implore de lui donner la preuve que le pont de Québec a déjà tombé afin de faire taire ces incrédules...

Vous constaterez dans les pages qui suivent que l'accent est mis beaucoup plus sur l'aspect historique du pont que sur son aspect technique. Au risque de décevoir le lecteur, j'ai volontairement négligé cet aspect, n'ayant ni la compétence ni la formation pour en parler adéquatement. Je n'ai pas la prétention non plus d'affirmer que tous les faits mentionnés sont exempts d'erreurs. Devant des sources d'information contradictoires, j'ai cependant toujours choisi l'option qui me semblait la plus plausible et pour laquelle je trouvais une corroboration.

Lors de chacune de mes conférences traitant de l'histoire du pont de Québec, quelqu'un formulait le souhait que toutes ces informations à caractère historique soient colligées et fassent l'objet d'une publication. C'est sur l'insistance de toutes ces personnes et d'après l'intérêt manifeste pour le sujet que je me suis décidé à écrire ce volume.

Je souhaite que vous y trouviez à votre tour autant de satisfaction à le lire que j'en ai retiré à l'écrire.

PRÉFACE

J'ai été très heureux lorsque Monsieur L'Hébreux m'a demandé de lui apporter ma collaboration pour la rédaction de son livre, parce que le pont de Québec représente pour moi beaucoup de souvenirs: des bons mais aussi des souvenirs terribles.

J'ai commencé à travailler au pont le 3 avril 1918, j'avais 13 ans. J'étais payé 0,30¢ de l'heure pour transporter l'eau aux hommes, faire les commissions et surveiller la cabane des outils sur le pont. À l'âge de 14 ans, j'ai travaillé comme apprenti-peintre au salaire de 0,35¢ l'heure. En novembre, en raison du froid, l'ouvrage arrêtait sur le pont et je devais me trouver autre chose pour aider à la subsistance de ma famille qui était très pauvre. En 1924, j'ai été nommé peintre et je gagnais 0,44¢ de l'heure.

L'année 1924 a été pour moi une année de malheur, puisque le 25 septembre, à 8:30 heures du matin en raison d'une maladresse d'un compagnon de travail, je faisais une chute de 82 pieds en bas du pont de Québec. Il en est résulté 22 fractures dans tout mon corps, y compris deux fractures au crâne et de plus j'avais un œil sorti de son orbite. J'en ai perdu l'usage depuis. À la suite de cet accident, j'ai été hospitalisé 8 mois à l'Hôtel-Dieu de Lévis, et mon hospitalisation a été suivie d'une longue convalescence.

De plus, le pont a été fatal à plusieurs de mes amis et aussi à des gens de ma famille. J'étais présent en 1916 lorsque s'est produite la deuxième grande catastrophe du pont de Québec. Alexandre Barbeau dont le sauvetage est raconté dans le volume était mon beau-père.

J'ai connu plusieurs Indiens qui ont travaillé au pont. Une quinzaine de familles passaient l'été chez-nous à New Liverpool et ils étaient du bon monde. Les Indiens jouissaient d'une excellente réputation et étaient de bons travaillants. Même s'il se vendait beaucoup de boisson à l'époque, ils faisaient preuve de sobriété exemplaire. Les Indiens d'aujourd'hui ont raison d'être fiers de leurs ancêtres.

Je suis content que le livre de Monsieur L'Hébreux fasse connaître l'histoire du pont à beaucoup de gens. Je considère son travail très précis, ce qui lui a demandé beaucoup de recherches. C'est un ouvrage extrêmement précieux pour connaître l'histoire d'un secteur encore inexploité de notre histoire canadienne.

Je suis persuadé que sa publication répond à un besoin et que toute la population l'accueillera avec beaucoup d'intérêt, car l'histoire du pont de Québec est déjà entrée dans la légende, autant par sa conception hardie que par les tragédies qui ont marqué son exécution.

Georges Charest

M. Georges Charest est décédé le 1er février 1986, quelques semaines seulement après avoir rédigé ce texte.

CHAPITRE I

LES ANNÉES QUI ONT PRÉCÉDÉ LA CONSTRUCTION DU PONT (1851-1900)

L'arrivée des chemins de fer dans la région

Vers le milieu du XIXième siècle, plusieurs compagnies ferroviaires font leur apparition dans la région de Québec.

«Ce nouveau moyen de transport vient révolutionner les modes de déplacement des produits et des personnes à l'échelle continentale, et [devient] par le fait même un concurrent de plus en plus sérieux pour les compagnies de navigation...

... Les lignes ferroviaires se multiplient généreusement dans notre territoire pour former une véritable toile d'araignée au début du XXième siècle. Le premier convoi à venir côtoyer le fleuve à Lévis arrive le 13 novembre 1854 par la ligne Québec-Richmond. Cette voie ferrée du Grand-Tronc permet à la région de Québec une communication directe, en toutes saisons, vers l'Atlantique (Portland, Maine) ou vers les grands centres de Montréal ou Toronto, et plus tard vers l'Ouest canadien... Par la prolongation du Grand Tronc vers Montmagny (1855) et Rivière-du-Loup (1860), Lévis devient l'embryon d'un carrefour ferroviaire. Ce tronçon du côté est sera intégré à l'Intercolonial en 1876, puisque celui-ci contrôle déjà le réseau ferré vers les Maritimes.

Cet engouement pour le chemin de fer se propage dans toutes les régions et, dès 1869, des entrepreneurs obtiennent une charte pour construire une voie à rails en bois entre Lévis et Kennebec. Ce projet, plein d'embûches, se réalisera finalement sous forme de chemin de fer et sera inauguré le 15 juin 1875, entre St-Joseph de Lévis et Scott. Six ans plus tard, il sera acheté par le Québec-Central, qui desservait les régions de la Beauce et des Cantons-de-l'Est...

[Au cours des années qui suivent], s'ajoutent au réseau des lignes secondaires comme la Chaudière Valley Railway entre Charny et Scott en 1883 et, la même année, le chemin de fer de la compagnie Breakey entre Chaudière-Mills (Breakeyville) et Chaudière-Bassin. Finalement en 1879, une ligne importante vient enrichir le réseau national et régional; elle relie Charny à Montréal en passant par Drummondville...

... La construction des installations du Grand-Tronc sur la côte de Lévis provoque une période de dynamisme économique sans précédent, sous de multiples aspects. L'arrivée du chemin de fer confère à Lévis de nouveaux avantages maritimes. «*Les marchandises à l'extérieur tendent à partir de 1854, à transborder à Lévis pour y prendre le train vers l'intérieur... Grâce aux voies ferrées, Lévis tendait ainsi à assurer les principales fonctions du port de Québec; son activité maritime s'accroissait alors que celle de Québec était en diminution*».
(Raoul Blanchard, l'Est du Canada français, p. 221)

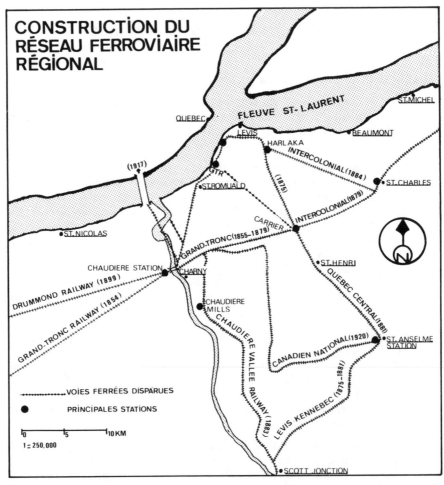

Carte extraite du document «Les activités économiques en zone littorale» (p. 18) publié par G.I.R.A.M. en 1984 et montrant l'évolution de la construction du réseau ferroviaire sur la Rive-Sud.

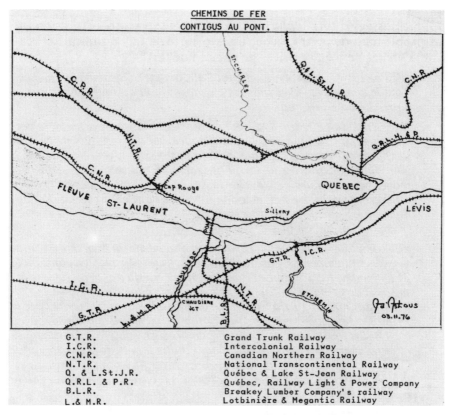

CHEMINS DE FER CONTIGUS AU PONT.

G.T.R.	Grand Trunk Railway
I.C.R.	Intercolonial Railway
C.N.R.	Canadian Northern Railway
N.T.R.	National Transcontinental Railway
Q. & L.St.J.R.	Québec & Lake St-Jean Railway
Q.R.L. & P.R.	Québec, Railway Light & Power Company
B.L.R.	Breakey Lumber Company's railway
L.& M.R.	Lotbinière & Megantic Railway

Carte dessinée par M. Adrien D'Astous en 1976 montrant les différentes compagnies de chemin de fer qui gravitent autour de la région de Québec a la fin du XIXième siècle.

Louis Fréchette exprime la prospérité de sa ville en ces termes:

«Hier, ce fut en vain que l'on t'aurait cherchée...
Hier tu sommeillais, immobile et penchée sur les abîmes de l'oubli;
Puis, l'œil triomphateur, la tête couronnée
Tu surgis... et sondant ta haute destinée Québec ta rivale a pâli!»

(Joseph-Edmond Roy, Histoire de la Seigneurie de Lauzon, Vol. II, p. LVI.) [1]

De son côté, Québec caresse depuis longtemps *«le rêve de devenir le véritable carrefour du transport d'envergure nationale»* [2]; cependant le fleuve St-Laurent constitue un obstacle de taille pour les différentes compagnies ferroviaires. Aucun lien direct n'existe pour permettre le passage des locomotives d'une rive à l'autre. En 1851, la ville de Québec confie à l'ingénieur Edward William Serrell le mandat d'effectuer une étude pour y construire un pont. M. Serrell dépose un document au titre non-équivoque: *«Rapport sur un pont suspendu*

---

[1] Gaston Cadrin, Les activités économiques en zone littorale, Lauzon, GIRAM, Coll: le fleuve et sa rive droite, 1984, pp. 15-20.

pour le passage d'un chemin de fer et pour la traverse du St-Laurent».
La problématique pour Québec est exprimée de façon radicale et réaliste: Québec ne peut se priver de chemin de fer». [2]

> *«S'il ne traverse pas ici, quelle est l'alternative? Que devient Québec? Tout le commerce, avec tous les avantages qui l'accompagnent, dira à votre cité un éternel adieu...*
>
> *... Québec doit être uni à la rive sud du fleuve de quelque manière permanente; par quelque voie de communication qui soit ouverte en tous temps et sans égard à l'époque ou à la saison... Citoyens de Québec, il vous faut construire soit un pont, soit une nouvelle Cité. Sans des moyens convenables de franchir le fleuve, des villes rivales de Québec s'élèveront sur la rive sud, et le commerce de l'ancienne capitale l'abandonnera».*
> (Rapport Serrell, 60-61.)[3]

> *«La compagnie du Grand-Tronc [est quand même] la première à s'attaquer énergiquement [à l'obstacle que constitue le fleuve], en confiant le 25 septembre 1856 à James Tibbitts l'exclusivité du transport de ses passagers et de sa marchandise, entre le quai de la gare, à la Pointe-Lévy, et le port de Québec. Le traversier «Grand Trunk Ferry», mis en service le 15 juillet 1856 synchronise son horaire avec celui des trains à Lévis, c'est-à-dire qu'il part de Québec pour accoster la rive sud quelques minutes avant l'arrivée des trains, et ne quitte le quai de la rive sud pour Québec qu'après le départ des trains. En hiver, les trains doivent attendre parfois lorsque l'arrivée du bateau est retardée par les glaces ou le mauvais temps...*
>
> *... Vers 1885, la Compagnie de la Traverse Québec et Lévis agrandit son champ d'activités en signant des ententes avec diverses compagnies ferroviaires afin de transporter des wagons de fret d'une rive à l'autre par traversiers-rails, et fait construire un navire équipé à cette fin.*
>
> *L'entreprise se révélant rentable, la compagnie commande un second traversier-rail vers 1910. Ces navires portent les noms de deux actionnaires de la Compagnie: le «J.S. Thom» et le «C.H. Shaw».*
>
> *Les journaux de l'époque et la correspondance échangée entre la Chambre de commerce et le gouvernement fédéral confirment que ces bateaux connaissent une très grande activité. On les voit circuler sans interruption, hiver comme été, transportant d'une rive à l'autre une moyenne de 3 000 wagons de fret par mois.*
>
> *La Compagnie transcontinentale décide, [aussi], de se lancer dans le transport interrives de wagons de marchandises. En 1914, elle fait construire, en Angleterre, un bateau à vapeur d'une grande puissance, le «Leonard». Il doit transporter les wagons de la Compagnie, notamment ceux qui arrivent de l'Ouest, chargés de blé à destination des pays d'outre-mer via les ports de Halifax et de St-Jean, au Nouveau-Brunswick.*

---

[2] Ibid., 33.

[3] Cité par GIRAM, Ibid., p. 15.

Le «Léonard» traversier-rail appartenant à la compagnie de chemin de fer «Transcontinentale» qui effectua la navette entre Québec et Lévis jusqu'en 1920.

Mis en service en 1915, le «Leonard» que commande un Québécois, le capitaine Baker, étend peu à peu ses activités en assurant non seulement le transbordement des wagons de la «Transcontinentale», mais également ceux d'autres compagnies ferroviaires[4]».

Début d'un roman-fleuve

C'est le 22 février 1851 que la corporation de Québec fait parvenir, pour la première fois, une requête au gouverneur général, le priant d'étudier la possibilité de faire construire un pont sur le St-Laurent, au Cap-Rouge ou à Deschambault dans le comté de Portneuf.

Le projet n'aura pas de suite, le gouvernement préférant ne pas s'engager dans ce genre d'aventure.

Quelques mois plus tard, soit le 26 juillet de la même année, un ingénieur du nom de Bukati s'inscrit comme promoteur d'un projet; il soumet aux autorités municipales de Québec un projet similaire. Il n'a pas plus de chances car ses plans demeurent sur les tablettes.

---

[4]   Roger Bruneau, La petite histoire de la Traverse de Lévis, Québec, Ministère des Transports, 1983, p. 42-43.

En 1852, à la demande du Conseil de ville de Québec, monsieur Edward William Serrell, de New-York, ingénieur du pont suspendu de Lewiston-Queenston, dans l'état du Maine aux États-Unis, recommande dans un rapport détaillé qu'un pont suspendu soit construit à l'endroit qui lui apparaît le plus approprié, soit à proximité de la rivière Chaudière. Cet emplacement procure l'avantage d'un relatif resserrement du fleuve et l'escarpement des falaises laisse une hauteur libre sous la structure suffisamment grande pour permettre le passage des bateaux. Il a également étudié les lieux entre la terrasse du vieux Château Saint-Louis et le bout des côtes de la Pointe-Lévis, ainsi qu'un autre site dans le voisinage du cap Diamant.

Son plan proposé pour la construction du pont est connu sous le nom de «pont suspendu en fils de fer» et son coût est estimé à environ 3 000 000 $. Le pont Serrell doit avoir trois grandes travées: deux travées de rive de 805 pieds chacune et une travée centrale de 1610 pieds. La plus grande hauteur du tablier au-dessus du niveau des plus hautes eaux du fleuve doit être de 170 pieds. Ce pont doit livrer passage à une voie ferrée centrale et à deux voies charretières latérales.

Pendant plus de trente ans, plusieurs ingénieurs étudieront successivement le projet Serrell sans que rien ne se concrétise cependant.

En 1867, un jeune ingénieur québécois d'une vingtaine d'années, Charles Baillargé, soumet ses propres plans. Son projet est évalué à 10 millions de dollars. Le pont est soutenu par quatre piliers qui se partagent le fleuve en formant trois arcs de 1200 pieds de large et deux demi-arcs de 600 pieds. Afin de permettre le passage des bateaux, le tablier du pont Baillargé, qui part de la terrasse Dufferin pour s'appuyer sur la falaise de Lévis, s'élève à 145 pieds du niveau de la mer. Ce nouveau projet ne connaît pas le succès.

En 1884, M.A.L. Light, qui a construit le chemin de fer Québec-Montréal-Ottawa, propose à la Chambre de Commerce de Québec un troisième projet.

Deux ans auparavant, en 1882, M. W. Baby, de Québec, avait obtenu une charte en vue de la construction d'un pont de type cantilever comprenant une travée principale de 1443 pieds. Une fois de plus, le projet est abandonné.

Fondation de la Quebec Bridge Company

En 1887, la compagnie du pont de Québec est constituée en vertu de l'acte 50-51 Victoria Chapitre 28 du parlement du Canada. Cette compagnie sera appelée plus tard la compagnie du Pont et des chemins de fer nationaux du Canada. Simon Napoléon Parent, à la fois maire de Québec et actionnaire de nombreuses entreprises, en est le président fondateur.

Les autres membres sont M. Rodolphe Audette, président de la Banque Nationale, vice-président; M. E.A. Hoare, ingénieur en chef;

Théodore Cooper, ingénieur consultant; Ulric Barthe, secrétaire; J.H. Paquet, trésorier. Les directeurs sont: l'hon. N. Garneau, MM. Gaspard Lemoine, H.M. Price, Hugh A. Allan, Visey Boswell, Hon. John Sharples, MM. J.B. Laliberté et P.B. Dumoulin.

La Compagnie est incorporée par l'honorable J.J. Ross, le Lt.-Col. Rhodes et d'autres. La charte accordée à la compagnie prévoit le début des travaux dans les trois ans, lesquels devront être complétés en dedans de six ans. Cette échéance est revisée en 1891 afin de permettre le début des travaux en 1894 et son parachèvement en juillet 1897. À la fin du délai, la date de parachèvement est reportée en 1902 et plus tard en juin 1905.

Quelques mois seulement après son incorporation, la Compagnie du pont de Québec fait entreprendre avec le concours financier du gouvernement provincial pour la somme de 1 681.69 $, des études topographiques des deux rives du St-Laurent dans le voisinage de Québec et aussi des sondages de la partie de ce fleuve comprise entre Québec et la Pointe-à-Pizeau (St-Colomb-de-Sillery).

Ces travaux sont exécutés par M. E.A. Hoare au cours des mois de septembre, octobre et novembre 1888. Ils ont pour but d'obtenir les données nécessaires à établir une juste comparaison entre les divers emplacements proposés pour la construction d'un pont cantilever sur le St-Laurent à Québec et plus particulièrement de mettre les emplacements situés en face de la ville en parallèle avec l'emplacement situé près de l'embouchure de la rivière Chaudière.

Selon les études effectuées par M. Hoare, il se dégage clairement que les seuls endroits où l'on peut raisonnablement projeter de jeter un pont sur le St-Laurent près de Québec sont les suivants:

— Le cap Diamant
— La Pointe-à-Pizeau (St-Colomb-de-Sillery)
— Près de la rivière Chaudière

Il ajoute cependant qu'un pont construit immédiatement en aval de la Citadelle serait vu par les autorités militaires comme un véritable obstacle qu'ils ne toléreraient pas et que de plus, si la ligne d'accès au pont passe en plein centre-ville, cela causerait un tort immense à la propriété.

Selon M. Hoare, la partie du fleuve présentant le plus d'avantages pour la construction d'un pont se trouve près de l'embouchure de la Chaudière. Il dit cependant dans son rapport qu'il n'est pas en mesure de préciser l'endroit où, dans cette partie du fleuve, l'ouvrage pourrait être construit le plus économiquement.

Érigé à un tiers de mille environ en amont de l'embouchure de la rivière Chaudière, le pont aurait, entre ses culées, une longueur de 2630 pieds. L'ouvrage comporterait une grande travée centrale de 1442 pieds d'ouverture, deux travées de rive de 487 pieds de portée chacune, et deux viaducs d'accès d'environ 400 pieds de longueur respectivement. Le pont serait du type cantilever (à nervure inférieure horizontale), et sa superstructure, dont la plus grande largeur atteindrait 108 pieds, laisserait partout, entre les piles, une hauteur libre de 150 pieds au-dessus des plus hautes eaux du fleuve.

Les deux piles en rivière seraient établies dans une profondeur d'eau maxima de 40 pieds environ, et, au droit des piles, les grandes poutres en encorbellement auraient une hauteur de 258 pieds. L'ouvrage aurait donc, de la base des piles au sommet de la superstructure, une hauteur totale de 448 pieds.

M. Hoare, dans son estimation approximative du coût des travaux que comporte ce projet, laisse entendre que sur la rive nord le pont serait relié au Pacifique Canadien par une ligne directe, qu'il appelle «direct tunnel line», et dont une partie serait établie en tunnel; mais il ne donne, sur ce tunnel, aucun détail. La ligne en question aurait une longueur d'environ trois milles et un quart et irait se souder au Pacifique Canadien près de l'ancienne jonction de ce chemin de fer et de celui de Québec et Lac Saint-Jean, à la Petite-Rivière. On éviterait le tunnel, dit l'auteur du projet, en passant par le Cap-Rouge, ce qui augmenterait de deux milles seulement le développement total de la voie reliant le pont à la jonction précitée.

Sur la rive sud, le pont serait réuni au chemin de fer du Grand-Tronc par une ligne de deux milles et un quart, sur laquelle on serait obligé de construire un pont, relativement peu important, pour traverser la rivière Chaudière.

M. Hoare pense qu'en supprimant le tunnel et en remplaçant la maçonnerie par le métal pour les viaducs d'accès, l'exécution de ce projet ne coûterait pas plus de cinq millions et demi de dollars.

L'année suivante, en 1890, M. l'Ingénieur Bonnin, professeur à l'École Polytechnique de Montréal, étudie pour le pont de Québec trois «tracés» différents: un devant la ville, et deux à l'Île d'Orléans. Il présente son rapport le 21 octobre 1890.

En principe, Monsieur Bonnin est opposé au pont en amont de la ville. Selon lui, l'emplacement du pont de Québec est tout indiqué. «Nous croyons», dit-il, «que, quelle que soit la différence des coûts, un tracé en aval, ou mieux, un tracé à Québec même, doit être adopté.»

Pour ce qui est du pont qu'il suggère devant Québec, l'ouvrage serait situé un peu en amont de la citadelle, près des anciennes fortifications françaises. Il comporterait deux grandes travées centrales de 1360 pieds d'ouverture et deux travées de rive de 545 pieds de portée libre, ce qui lui donnerait, y compris la largeur des piles et la longueur des viaducs d'accès, une longueur totale d'environ 4834 pieds.

La superstructure métallique serait du *type cantilever*, posant sur des piles en maçonnerie. L'appui placé au milieu du fleuve serait formé d'une pile double, tandis que les autres supports seraient simples.

La plus grande hauteur libre que laisserait le pont au-dessus du niveau du fleuve serait de 165 pieds, à mer haute.

Les fondations des piles atteindraient, sous l'eau, une profondeur maxima de 115 pieds.

Au droit de ces piles, les grandes poutres, disposées en consoles, auraient une hauteur de 250 pieds.

Le pont serait absolument du même type que celui du Forth.

Le tablier comporterait: une voie de chemin de fer, une voie charretière et une voie pour tramways.

En ce qui concerne maintenant le premier pont que M. Bonnin suggère à l'Île d'Orléans, il partirait de la station d'Harlaka (Intercolonial et Québec Central) au Sault-Montmorency, sur le chemin de fer de Québec-Montmorency Charlevoix, passant par la pointe Martinière et Sainte-Pétronille.

La ligne projetée aurait son origine à la station d'Harlaka, sur la rive sud, à St-Joseph-de-Lévis. La distance entre cette station et l'extrémité de la pointe Martinière est de un mille environ.

Pour le pont sur le bras sud du fleuve, qui serait jeté entre la pointe Martinière et Sainte-Pétronille, M. Bonnin recommande un pont à poutres droites, pour les travées de rive, et à cantilever de 1250 pieds d'ouverture pour la partie franchissant le chenal, dont le coût s'élèverait à 4 100 000 $.

Une voie ferrée, dont l'établissement nécessiterait une dépense de 27 000 $, relierait l'ouvrage dont il vient d'être question au pont sur le bras nord, jeté entre Sainte-Pétronille et le Sault-Montmorency.

Ce dernier pont, dont la longueur totale serait de 7275 pieds, ne présenterait pas, au point de vue de sa construction, les mêmes difficultés que celui sur le bras sud car sa superstructure ne laisserait qu'une distance de 60 pieds de hauteur libre au-dessus du fleuve à marée haute. Sa construction nécessiterait cependant une dépense de 1 790 000 $ toujours selon M. Bonnin.

Le second tracé qu'il suggère toujours à l'Île d'Orléans partirait de la station d'Harlaka à l'Ange-Gardien, en passant par la pointe-Martinière, Ste-Pétronille et St-Pierre. Son coût est estimé à 5 199 000 $.

En 1891, la Compagnie des Établissements Eiffel de Paris est appelée à examiner les projets de M. Hoare et de M. Bonnin. Elle présente le 21 juillet 1891, un mémoire dans lequel elle traite de l'emplacement du pont, de la portée des travées, du choix du métal et du système de construction.

Sur le premier de ces points, voici textuellement ce que dit le mémoire:

«La question de l'emplacement du pont dépend des circonstances locales, mais il semble établi que la situation la plus avantageuse est celle qui se

trouve devant Québec même. *Les seules raisons qui ont fait admettre plusieurs tracés différents, situés à des distances considérables de la ville, sont des considérations de prix. Bien des personnes compétentes pensent que non seulement les autres tracés réduiraient considérablement les avantages pour la ville de Québec, mais elles vont même jusqu'à dire qu'ils pourraient avoir pour effet de déplacer le centre commercial de la ville et de l'amener dans la proximité du pont. Il semble, en comparant les différents projets, que l'économie que l'on réaliserait en éloignant le pont de la ville ne serait pas si considérable et qu'elle serait loin de compenser les avantages d'un pont aboutissant à la ville même.* »[5]

Touchant le second point, la portée des travées, il semble à la compagnie que, dans tous les projets qui lui ont été communiqués, *«il y a tendance à exagérer soit le nombre, soit aussi la longueur des grandes travées qui atteignent dans ces projets jusqu'à 400 mètres de portée.»*[6]

Parlant du choix du métal, la compagnie recommande, pour la superstructure du pont de Québec, l'emploi de l'acier doux, métal dont la fabrication est devenue courante depuis quelques années.

Relativement au type de construction, la compagnie passe en revue les trois systèmes qui permettent de franchir les plus grandes travées: les ponts en arc, les ponts suspendus et les ponts cantilever ou ponts à consoles. Elle conclut à l'adoption du dernier de ces systèmes qui, dit-elle, supprime toute poussée horizontale sur les appuis et tout ancrage, permet de réduire beaucoup la hauteur des maçonneries, et se prête admirablement au montage en porte-à-faux.

Le 19 octobre 1895, on dépose au parlement les résolutions relatives à la construction du premier pont de Québec.

Le 1er octobre 1896, M. Charles-Édouard Gauvin, ingénieur, dépose un rapport à l'honorable Edmund J. Flynn, premier ministre du Québec et commissaire aux travaux publics de la province. M. Gauvin avait reçu la mission quelque temps auparavant d'examiner tout le dossier relatif au pont projeté sur le St-Laurent et de traduire le résultat de ses études par des recommandations concrètes. Pour ce faire, il étudia en profondeur les dossiers suivants:

1° Le rapport Serrell (1852)

2° Le rapport A.L. Light (1884) intitulé «The Bridge over the St. Lawrence at Quebec».

3° Le rapport et les plans de M. E.A. Hoare (1889).

4° Le rapport de l'ingénieur Bonnin (1890).

5° Le mémoire «Considérations sur le pont de Québec par la compagnie des Établissements Eiffel de Paris».

---

[5] 59 Victoria Documents de la Session (n° 7) A.D. 1896.

[6] 59 Victoria Documents de la Session (n° 7) A.D. 1896.

24

Dans son rapport, M. l'ingénieur Gauvin arrive à la conclusion que seuls les rapports Serrell, Hoare et Bonnin sont basés sur des études sérieuses et que les deux autres ne peuvent être pris en considération puisqu'ils ne sont pas suffisamment étoffés.

La première recommandation du rapport porte sur l'emplacement où le pont doit être érigé:

Selon l'ingénieur Gauvin, il est possible de jeter un pont sur le St-Laurent à n'importe lequel des emplacements qui ont été étudiés puisque tous les projets sont parfaitement réalisables. Il convient cependant de rechercher celui des emplacements qui présente tant du côté technique que sous le rapport économique le plus d'avantages. Il procède donc par élimination pour conclure que le site à proximité de la rivière Chaudière est de beaucoup supérieur aux autres. Les trois principaux avantages qu'il mentionne sont les suivants:

a) La longueur d'un pont à cet endroit serait la moitié de la longueur d'un pont devant la ville.

b) Les fondations des piliers d'un pont au même endroit n'atteindraient qu'une profondeur de 40 pieds au-dessous des hautes eaux du fleuve tandis que pour un pont devant Québec, l'on devra descendre jusqu'à 135 pieds en contre-bas du même niveau.

c) Un pont près de la rivière Chaudière coûterait environ les 4/10 d'un pont devant Québec.

La seconde recommandation du rapport Gauvin porte ensuite sur le système de construction à utiliser. Il constate que le système des ponts à consoles dits ponts cantilevers semble avoir le suffrage de presque tous les ingénieurs qui se sont occupés du pont de Québec. Par contre, un pont suspendu coûterait moins cher qu'un pont cantilever parce que ces derniers sont plus légers. Finalement, sur cette question M. Gauvin partage entièrement l'opinion exposée par la compagnie des Établissements Eiffel de Paris: *«Étant donné l'état actuel de l'art des constructions, c'est le pont à consoles, dit cantilever, qui offre le plus de sécurité et peut-être aussi le plus de facilité relativement au montage, question capitale pour le pont dont il s'agit».*

Concernant le choix du métal à utiliser, M. Gauvin est catégorique dans son rapport.

«C'est l'acier doux qui s'impose. Les qualités de résistance et de durée de ce métal sont tellement supérieures à celles du fer qu'il est possible de réaliser par son seul emploi une économie de poids d'environ 50% par rapport à l'emploi du fer et cela dans des conditions de sécurité absolues».

M. Gauvin termine ensuite son rapport par quelques considérations sur les effets des glaces du fleuve sur les piliers du pont:

«Les piliers du pont devront avoir de très grandes dimensions et par suite, un poids considérable auquel viendra s'ajouter l'énorme charge du

tablier. De cette manière, il me paraît certain que les glaces ne pourront avoir sur eux une influence assez grande pour en compromettre la stabilité. Il serait cependant prudent de construire en amont et en aval des piliers, des brise-glaces pour protéger la maçonnerie».[7]

En 1900, la Compagnie du Pont de Québec reçoit l'appui du gouvernement fédéral qui lui octroie 1 000 000 $. Le gouvernement du Québec et la Cité de Québec injectent respectivement les sommes de 250 000 $. et 300 000 $. De plus, la compagnie est autorisée à émettre des obligations pour plus de 6 000 000 $.

Elle arrête définitivement l'endroit où le pont sera construit c'est-à-dire près de l'embouchure de la rivière Chaudière qui a également l'avantage d'être l'endroit le plus étroit du fleuve. Elle choisit également le système cantilever comme principe de construction du pont puisque ce dernier permet des portées plus grandes entre les piliers et offre ainsi plus de garanties de solidité pour les poids lourds que les ponts suspendus par câbles.

Le contrat pour la construction du pont est signé le 19 juin 1900. Aussitôt la compagnie du pont passe des contrats avec diverses compagnies dont la compagnie William Davis and sons pour la sous-structure, et la Phoenix Bridge Company de Phoenixville en Pennsylvanie pour la superstructure. Les facteurs qui favorisent le choix de cette dernière compagnie sont d'abord que ses plans préliminaires sont prêts, ce qui importe grandement pour respecter l'échéancier prévu et ensuite que la Phoenix Bridge Co. présente aux administrateurs de la Québec Bridge Co. la plus basse soumission.

Ce pont, de type cantilever, doit avoir 67 pieds de large, 3242 pieds de long incluant les approches et un espace de 1800 pieds pour la travée centrale comprise entre les deux piliers principaux.

Un ingénieur américain, M. Théodore Cooper, est embauché comme ingénieur-consultant et M. E.A. Hoare comme ingénieur en chef.

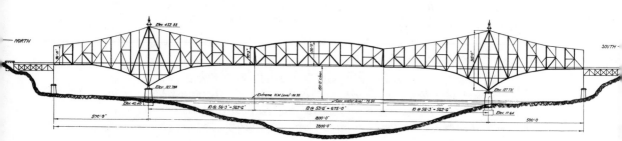

Plan du premier pont de Québec construit par la Phoenix Bridge Co.

---

(7)   Rapport de l'ingénieur C.E. Gauvin, 1er octobre 1896.

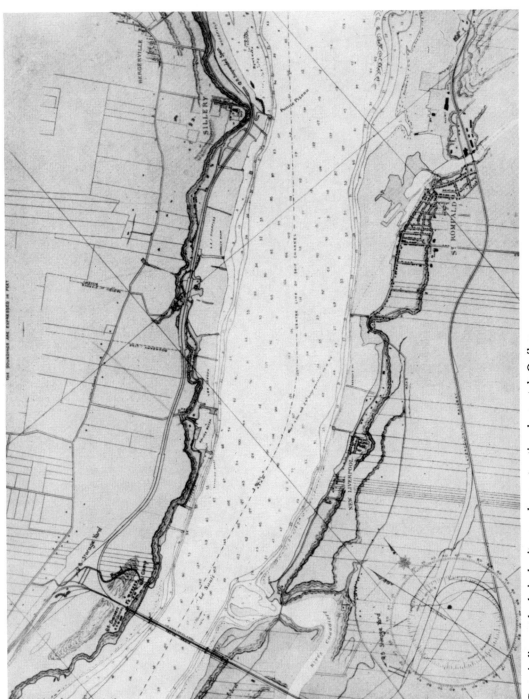

Carte indiquant le choix du site pour la construction du pont de Québec.

CHAPITRE II

LA CONSTRUCTION DU PREMIER PONT DE QUÉBEC

Pose de la pierre angulaire

Le début des travaux de construction du premier pont de Québec est marqué par une cérémonie grandiose et imposante. Elle met en vedette les deux premiers ministres de l'époque: sir Wilfrid Laurier, premier ministre du Canada et député de Québec-Est aux communes ainsi que M. Simon-Napoléon Parent, premier ministre désigné de la province de Québec — il devait être assermenté le lendemain — député de St-Sauveur à l'assemblée législative et président de la compagnie du Pont de Québec. Les journaux de l'époque ne tarissent pas de commentaires sur l'événement de la pose de la pierre angulaire. Et puisqu'il est possible de revivre, à travers eux et les discours de plusieurs orateurs, l'intense désir et la satisfaction profonde du public dans la réalisation d'un pont, laissons-nous imprégner de la chaude atmosphère de leurs récits.

Cette cérémonie a lieu le 2 octobre 1900, près du site du pilier nord du pont de Québec. La température se montre des plus clémente et une dizaine de milliers de personnes se pressent sur les lieux de la cérémonie. Les conditions d'accès au site sont facilitées par les organisateurs dont le principal responsable est le secrétaire de la compagnie du Pont, M. Ulric Barthe. Ces derniers ont nolisé cinq bateaux pour transporter les invités au site du pont.

Les gens des paroisses des comtés voisins, hors des limites du Havre de Québec, ont aussi des bateaux à leur disposition envoyés aux frais des organisateurs pour les amener à la ville.

Toutes les précautions sont prises pour assurer le bon ordre. La police de la ville est présente sous les ordres du chef Pennée. Une escouade de gendarmes s'échelonne en cordon afin d'empêcher la foule d'envahir l'estrade d'honneur et malgré toutes ces précautions, il n'y a guère de places pour les journalistes.

Le Président et les Directeurs
de la Compagnie du Pont de Québec
prient

P. G. Roy ter.

de leur faire l'honneur d'assister à la pose de la
Pierre Angulaire du Pont de Québec
par le Très honorable Sir Wilfrid Laurier,
Premier Ministre du Canada,
le deux octobre prochain, à deux heures et demie de l'après-midi.

Québec, 25 septembre, 1900.   R. S. V. P.

Carton d'invitation qui a été adressé aux invités spéciaux pour assister à la pose de la pierre angulaire du Pont de Québec. Ce dernier était adressé à M. Pierre-Georges Roy de Lévis.

(Photo M. Pierre Roy)

M. Barthe, le principal organisateur de la démonstration, fait des pieds et des mains pour honorer ses invités. Des pontons flottants sont installés aux deux débarcadères de Victoria Cove. Une large passerelle en bois conduit les invités à l'endroit de la cérémonie qui est situé à environ 3000 pieds des quais.

Comme plusieurs citoyens ont manifesté le désir d'accompagner sir Wilfrid en voiture, le Premier ministre fait le voyage par terre, passant par la rue Champlain et les Foulons accompagné des ministres fédéraux et locaux, des autorités religieuses, des juges et des directeurs de la Compagnie.

Le départ des bateaux se fait du quai du marché Champlain à partir de 13:00 heures. Le cabotier «Étoile» est spécialement retenu pour les sénateurs, députés fédéraux, conseillers législatifs et membres de l'Assemblée Législative, le clergé, les échevins, les consuls, les commissaires du Havre, les représentants des chemins de fer, la presse, la Chambre de Commerce et les autres invités appartenant au monde officiel. La fanfare de la Garde Indépendante Champlain prend place sur ce même bateau. Les autres bateaux partent ensuite à courts intervalles. La cérémonie a lieu à 14:55 heures.

Le premier ministre du Canada et les autres ministres font l'objet d'une ovation lorsqu'ils montent à l'estrade. De superbes corbeilles de fleurs sont présentées à sir Wilfrid Laurier, au nouveau premier ministre du Québec et à l'Honorable M. Fitzpatrick, solliciteur général et député fédéral du comté de Québec.

Adresse présentée à sir Wilfrid Laurier

Au début de la cérémonie, l'Honorable S.N. Parent donne lecture d'une adresse à sir Wilfrid Laurier.

Au très Honorable sir Wilfrid Laurier

Monsieur,

«Le sort en est jeté. Nous posons aujourd'hui la première pierre du pont de Québec sur le St-Laurent.

C'est la réalisation du rêve aimé, caressé depuis bientôt cinquante ans par tous les Québécois. Nos ancêtres doivent tressaillir d'allégresse en ce moment où nous vivons pour ainsi dire ce dernier chemin de notre unité nationale.

À dater de ce jour, il s'étendra donc véritablement de Halifax à Vancouver le ruban d'acier qui unit les deux océans, et ce que votre superbe éloquence appela un jour «la grande œuvre» de la Confédération va être, dans toute la force du terme un fait accompli.

Le grand roi qui fit la France, notre mère patrie si puissante, si glorieuse et si belle, s'écriait un jour «il n'y a plus de Pyrénées». Aujourd'hui, vous, le premier ministre de ce qui fut autrefois la Nouvelle-France, vous pouvez dire: «La patrie canadienne borne à deux océans, à mille lieues de distance et il n'y a plus de solution de continuité dans les espaces immenses qu'enserre son glorieux drapeau».

Le moment est solennel. Nous avons peine à nous défendre de l'émotion qui nous gagne; car ce jour marquera dans les fastes de notre pays. Aussi, est-ce avec le plus grand éclat possible que nous accomplissons cette cérémonie, en présence de ce vaste auditoire qui réunit ensemble les sommités de notre pays et au milieu duquel il nous fait plaisir de rencontrer parmi tant de personnages distingués la bonne et franche physionomie des travailleurs, des ouvriers de Québec et de ses environs conviés à cette fête. Elle marque pour eux le commencement d'une ère de prospérité et d'emploi lucratif dont ils vous sont redevables monsieur le Premier Ministre, et ils vous offrent en ce moment l'hommage de leur reconnaissance, parce que vous avez pensé à eux et à leurs familles, en donnant votre concours à cette grande entreprise.

Nous sommes tous en ce moment, monsieur le Premier Ministre sous le coup d'un sentiment bien difficile à rendre dans toute son intensité, vous d'abord qui éprouvez la satisfaction bien légitime de vous dire que vous avez rempli votre promesse envers Québec, et moi-même, qui, accoutumé à parler comme Maire de la cité de Champlain, suis tenu d'agrandir les horizons de ma pensée pour parler, non seulement comme Maire, comme Président de la Compagnie du Pont de Québec, mais au nom des habitants de toute cette région de Québec, de cette rive nord du Saint-Laurent qui a longtemps souffert de l'isolement où la nature l'a placée, mais qui veut plus que jamais entrer dans le mouvement du commerce et prendre sa part de l'activité et du progrès qui se manifestent partout.

Nous posons aujourd'hui un fait dont l'importance n'échappe à personne. Cette fête rappelle à plus d'un titre les fiancailles avec la mer que les doges de Venise célébraient chaque année avec les flots bleus de la Méditerranée. Comme eux, nous aimons la mer. Ce fleuve géant que nos yeux ont été habitués à contempler dès notre enfance, il nous apparaît aujourd'hui plus beau, plus séduisant que jamais.

Nous l'aimons quand ses eaux tranquilles ajoutent à la splendeur des paysages qui nous entourent.

Nous l'aimons quand il se soulève fouetté par la tempête ou lorsque l'hiver emprisonne ses flots sous un manteau de glace, ou encore, lorsqu'au printemps il rugit dans les convulsions de la débâcle.

Il est partout dans notre histoire, dans nos poétiques légendes, dans les souvenirs nombreux qu'il éveille en nos esprits.

Quel est le Canadien qui n'aime le St-Laurent? Et qui, après avoir vécu sur ses rives, si long et si lointain qu'ait été son exil, n'aspire pas au bonheur de le revoir?

Longtemps il a bercé ses flots dans les solitudes printanières dont le silence n'était troublé que par les perturbations géologiques, les effondrements des montagnes ou les rugissements des bêtes sauvages. Plus tard il a porté sur ses vagues frémissantes les légères pirogues des fiers enfants de la forêt.

Puis sont apparues à l'horizon les voiles blanches des pionniers de la civilisation du vieux monde. Jacques Cartier, de la Roche, Roberval, Samuel de Champlain, de Monts, Pontgravé, Chauvin, de Poutrincourt, les Kerk, de Laval, St-Vallier, de la Salle, Joliet, puis encore les missionnaires, race de géants, ardente au labeur, assoiffée d'apostolat et de martyre, et cet essaim de nobles femmes dont le courage, la grâce et le charme entourent comme d'une auréole les premières pages de notre histoire.

Un peu plus tard, dans les échos des Laurentides ont résonné les cris de guerre des nations barbares, et les sons éclatants du clairon qui annonçaient la glorieuse épopée militaire de la Nouvelle-France plus de cent ans de gloire et d'actions d'éclat, la dernière lutte de la civilisation contre la barbarie, la rencontre décisive de deux races nobles et fières se disputant la suprématie politique dans le Nouveau-Monde. Et puis, c'en est fait de l'histoire des batailles, car, maintenant, dans les splendeurs de la paix éclate la gaie chanson du voyageur et le refrain joyeux des canotiers du St-Laurent qui annoncent l'ère nouvelle, le défricheur prend la place du milicien, du soldat. C'est l'avènement du bateau à vapeur, du chemin de fer, et c'est pour saluer ces rois du jour que nous sommes réunis aujourd'hui, car elle est là, sur la falaise, la locomotive frémissante en révolte devant le précipice qui se dresse devant elle, et lui barre le passage. Pour elle, le fleuve c'est l'obstacle, elle veut à tout prix le franchir. C'est pour elle que nous avons construit le pont Victoria, coupé les massifs du Lac Supérieur, franchi les crêtes des montagnes Rocheuses. Pour répondre à son appel, il nous faut encore une fois combler l'abîme du St-Laurent, aplanir les voies pour qu'elle puisse de nouveau prendre son essor, s'élancer dans la carrière et aller porter aux régions moins favorisées que la nôtre le trop plein de nos greniers, la surabondance de biens que la Providence a départis à notre cher Canada les produits des immenses champs de blé de l'Ouest du Canada et des États-Unis.

C'est pour cela que nous sommes ici assemblés sur ce coin de terre qui garde le souvenir embaumé de vertu et de patriotisme.

Aux décors puissants de cette grande et belle nature, il faut une œuvre colossale, un travail de géant et c'est pour cela que le président et les directeurs de la Compagnie du Pont de Québec entourés des habitants de la région de Québec, accourus de toutes parts, se pressent autour de vous et vous sollicitent de leur faire l'honneur de poser solonnellement la première pierre de ce viaduc qui sera sans contredit l'une des merveilles du monde par la hardiesse de sa construction architecturale et le triomphe des difficultés à vaincre dans son exécution. Cet honneur, sir Wilfrid vous appartient de droit à plus d'un titre. D'abord, parce que après trente ans de labeur et parvenu au rang suprême, vous jouissez en ce moment, à la tête du gouvernement de notre pays, de l'estime et de la confiance de vos concitoyens. Ensuite, parce que plus que tout autre, vous avez contribué à assurer le succès de l'entreprise que vous inaugurez aujourd'hui. Chargé député vingt-trois ans du mandat de Québec-est vous n'avez jamais cessé de vous identifier avec les intérêts qui nous sont chers. Et aujourd'hui encore, nous attendons pour vous applaudir, le moment où votre voix éloquente, notre interprète toujours fidèle et toujours aimée, va se faire l'écho des sentiments qui débordent de nos cœurs. Hélas! Que n'est-il ici, sir William Serrell l'architecte éminent, l'ingénieur audacieux dont le crayon inspiré trace le premier plan du pont de Québec.

Au moment où il suspendait au-dessus des abîmes de Niagara l'œuvre hardie, monument de sa science et de ses calculs, il avait entrevu l'immense travée qui relierait près de Québec les deux rives du St-Laurent. Son idée puissante devançait notre temps et il était réservé aux ingénieurs de nos jours de faire entrer, cinquante ans après cette grande entreprise dans le domaine des faits accomplis.

Aujourd'hui, nous croyons au Pont de Québec. Depuis un demi-siècle nous jetons un regard d'envie du côté de notre puissante rivale et nous nous prenions à rêver en contemplant à soixante lieues d'ici le défilé triomphal qui emportait sur l'autre rive les richesses du commerce et de l'industrie qui ont fait de Montréal la métropole de notre pays.

Et pourtant, fils de Champlain, enfants de Maisonneuve, le même sang coule dans nos veines, et ces villes, sœurs par l'origine, sœurs par le courage et les vertus de leurs premiers habitants, sœurs encore par la vaillance déployée pour la défense du sol natal et par l'ambition patriotique dans les luttes pacifiques de l'industrie et du commerce, ne doivent pourtant pas être autre chose que des rivales généreuses dans la voie du progrès et de l'avancement de la patrie pour établir la suprématie de la voie du St-Laurent.

Aussi dans ce jour de réjouissances particulières pour la ville de Champlain, nous envoyons un salut fraternel et cordial à la voisine qui nous a devancés dans la carrière et a tracé un si lumineux sillon. Après le Pont Victoria, le Pont de Québec! Ce n'est que justice, et qui donc pourrait dire les destinées que l'avenir réserve à notre grand fleuve, les merveilleux développements de notre commerce et de notre industrie nationale?

Et maintenant, comment pourrions-nous mieux finir, qu'en donnant un souvenir à l'une des gloires les plus solides, en même temps que les plus brillantes et les plus pures de notre histoire, en évoquant une image chère entre toutes, celle de Samuel de Champlain, le fondateur de Québec et le père de la Nouvelle-France?

En ce jour solennel, où nous ouvrons plus large et plus belle la grande voie commerciale du Canada vers l'occident, pourrions-nous oublier le nom du hardi marin, de l'Homme d'état clairvoyant dont le regard plongeant dans l'espace songeait il y a déjà trois siècles à tracer pour la France et pour son roi la route de la Chine, le chemin des riches contrées de l'Asie, but suprême de l'ambition des découvreurs et de tous les hommes de génie de ce temps-là. Du haut de son piédestal de bronze que viennent de lui ériger ses fils reconnaissants, il aime sans doute à promener ses regards sur le grand fleuve que lui aussi a tant aimé. Quelle ne doit pas être sa joie, son orgueil, de constater l'extension prodigieuse qu'a prise son œuvre de prédilection. Son labeur n'a donc pas été vain, ni les vingt-cinq années d'exil lointain, ni les sacrifices qu'il s'est imposés dans ce nouveau pays où tout était à faire, mais où son génie créateur a conçu tant de choses qui se sont réalisées. Elles se dressent de toutes parts les villes dont son œil de maître avait marqué l'emplacement dont il avait prévu la grandeur et qui chérissent comme nous sa mémoire et avec nous elles se lèvent dans la joie pour fêter le grand jour qui nous réunit. Que de choses ne nous dirait-il pas en voyant les merveilles accomplies et les espérances de notre brillant avenir. Quelle ne serait pas sa surprise et en même temps sa satisfaction de voir que ce drapeau anglais par lui tant combattu devenu depuis le nôtre est maintenant le plus sûr rempart de nos libertés et le protecteur puissant et fidèle de nos aspirations nationales.

Mais il est une pensée qui entre toutes jaillirait de son cœur: c'est que ses enfants gardent avec un amour reconnaissant non seulement son souvenir, mais aussi la tradition de son dévouement, de son travail et de sa foi inébranlable dans l'avenir de leur pays, et que son œuvre ne périra pas parce qu'elle trouve dans les hommes distingués à qui notre peuple confie ses destinées des continuateurs de ses idées et qui marchent dans la voie large et sûre qu'il a tracée.

Me serait-il permis de donner ici une pensée aux promoteurs du Pont de Québec, aux pionniers de 1851 comme aux actionnaires d'aujourd'hui à ceux dont la libéralité de l'esprit d'entreprise a assuré sa construction, aux ingénieurs savants, aux architectes distingués, dont les lumières vont contribuer à l'exécution de cette merveille du monde, aux entrepreneurs sérieux qui vont la réaliser, enfin, au Conseil de Ville de Québec, à nos législateurs d'Ottawa et de Québec dont les subsides généreux ont assuré le succès financier de l'œuvre colossale que nous inaugurons.

Quelle que soit l'appellation future du Pont de Québec, votre nom, monsieur le Premier Ministre, y sera indissolublement lié et c'est par là que je termine, en vous donnant l'assurance que vous emporterez de cette fête un témoignage durable de la reconnaissance de cet auditoire, des habitants de la région de Québec et du pays tout entier.»[1]

Réponse de Sir Wilfrid Laurier

Sir Wilfrid Laurier se lève et répond en français à l'adresse. Il remercie d'abord les directeurs de la Compagnie du Pont, puis le premier ministre de la province de Québec l'Honorable S.N. Parent pour l'avoir invité à la cérémonie. Il dit que ce n'est pas un rêve, que ce n'est pas une illusion, la foule enthousiaste est venue pour jeter les bases du pont de Québec. Longtemps les Québécois ont vécu d'espérances toujours déçues, mais, leur rêve est sur le point de se réaliser. Il y a cinquante ans que l'idée de jeter un pont sur le St-Laurent à Québec a germé; mais ce n'est que depuis deux ans que les intéressés dans ce grand projet ont été pratiques. Ils ont formé une société responsable et le gouvernement fédéral s'est alors empressé de les aider. Il est évident que la Providence s'en est mêlée et bénit l'œuvre inaugurée sous de si heureux auspices.

L'orateur offre ses remerciements à l'Église, représentée par Mgr Marois, grand vicaire de l'archevêché de Québec et quelques autres dignitaires ecclésiastiques, puis à la magistrature représentée par sir Ls. N. Casault, juge en chef de la cour Supérieure. Il dit que dans l'adresse qui vient de lui être présentée, des références trop flatteuses sont faites sur son compte, pour la part qu'il a prise dans cette affaire de construction du pont. Il n'a fait que son devoir comme citoyen et patriote. Le pont de Québec sera l'une des merveilles du siècle. L'endroit choisi pour sa construction est le meilleur, car c'est dans la gorge la plus resserrée du fleuve et le volume d'eau est considérable, puisqu'il y a environ 200 pieds de profondeur au centre. Entre les mains de M. Michael Davis, l'entreprise sera conduite à bonne fin. Dans trois ans au plus, le pont sera terminé et ouvert au trafic. Lorsque le gouvernement vota un million pour le pont de Québec, des pessimistes alléguèrent que ce pont serait inutile vu le peu de commerce à Québec. C'était là une profonde erreur, car plus de 200 chars passeront sur ce pont, chaque jour. Déjà, il y a 6 compagnies de chemin de fer qui ont exprimé le désir de se servir du pont pour le passage de leurs convois. Dans quelques jours, surgira la compagnie de chemin de fer du Grand Nord, qui raccourcira de 800 milles la route entre le point de production et celui de consommation; c'est-à-dire entre l'ouest canadien et l'Europe. Il est vrai que Montréal avait pris le devant sur Québec, mais cette dernière aura son tour. Les États-Unis ont bien plusieurs ports d'expédition; il y a de la place pour plus qu'un port au Canada. Québec ne doit pas être jalouse des succès de Montréal, et vice-versa. Québec est admirablement douée de la nature, mais depuis 5 ans, la population n'a pas assez fait pour augmenter le progrès de cette belle ville. Autre-

---

[1]   Extrait du journal «L'événement», édition du 3 octobre 1900.

fois, il se faisait un grand commerce de bois à Québec. La ville a pour ainsi dire sommeillé durant un demi-siècle. Aujourd'hui elle se réveille et sera avant peu une des plus grandes villes maritimes et manufacturières.

Le pont de Québec est aussi une œuvre patriotique. La vieille capitale est encore le point où doit battre le cœur du Canada; et il appartient aux capitalistes locaux de ne rien négliger pour coopérer à son avancement.

Sir Wilfrid Laurier termine en félicitant les directeurs de la Compagnie du Pont, entre autres, le président, l'Honorable S.N. Parent. Ce dernier, premier ministre et maire de Québec, est en mesure de continuer à rendre d'éminents services à sa ville et surtout à la Compagnie du Pont.

Pour le pays tout entier dit-il, acceptez l'expression de ma plus sincère gratitude. [2]

De longs applaudissements couvrent ces dernières paroles du premier ministre, et pendant quelques minutes, ce ne sont que bravos et acclamations frénétiques saluant sir Wilfrid Laurier qui reprend son siège.

L'honorable M. Parent invite ensuite sir Wilfrid, les dignitaires du clergé et quelques personnages distingués à descendre auprès de la pierre angulaire et à procéder à la cérémonie de la pose.

Une magnifique truelle et un maillet en argent solide sont présentés au premier ministre. Dans le temps de le dire, les pouvoirs à vapeur se mettent à fonctionner et l'immense grue soulève la grosse pierre qui sera la première des assises des piliers de la rive nord du pont de Québec.

On dépose dans une cavité de la pierre en question, plusieurs documents importants: registre de la cérémonie, noms des directeurs de la Compagnie du pont, monnaie, etc., puis chacun des personnages vient tour à tour poser un peu de ciment sous la pierre et frapper le petit coup de maillet cérémonial.

Sir Wilfrid, accompagné de l'honorable M. Parent, remonte sur l'estrade.

M. Timmoney, maire de Sillery, et M. W.J. Powers, représentant les Chevaliers du Travail de Sillery présentent ensuite chacun une adresse à sir Wilfrid Laurier. Ce dernier répond brièvement en anglais. Les deux discours du premier ministre sont de nouveau vivement applaudis.

On invite ensuite M. Préfontaine, maire de Montréal. Ce dernier abonde dans le même sens que sir Wilfrid Laurier. Il dit que Montréal ne jalousera pas Québec de ses succès. Au contraire, les deux villes

---

[2]   Extrait du journal «L'événement», édition du 3 octobre 1900.

Vue de la grande estrade où étaient réunis les orateurs et les différents personnages qui ont pris part à la cérémonie de la pose de la pierre angulaire du pont de Québec.

(D'après une photographie du représentant de «La Presse».)

marchent main dans la main pour la prospérité générale du pays. Il dit avoir appuyé la demande d'un bonus d'un million de dollars pour le pont de Québec.

C'est ensuite au tour de M. Némèse Garneau, député du comté de Québec, qui accepte avec bienveillance l'occasion qui se présente d'exprimer ses vues sur l'entreprise.

«Cette entreprise» dit-il, «est d'une importance énorme pour notre ville et notre province. L'obstacle qui existe entre les deux rives de notre beau fleuve n'existera plus maintenant. Nous en remercions sir Wilfrid Laurier qui a contribué à la réalisation du rêve tant de fois déçu de la construction d'un pont à Québec, nous en remercions les directeurs de la Compagnie du Pont et son digne président qui ont tant fait pour notre bonne ville de Québec.»

L'honorable G.W. Stephens, ministre sans porte-feuille dans le cabinet provincial, appelé à prendre la parole, fait un magnifique éloge du maire Parent qui, à ses yeux fera le meilleur Premier Ministre que la province a eu.

Par la suite, M. Duffy, ministre des travaux publics dans le cabinet provincial, parle en termes très flatteurs de l'activité admirable de

M. Parent qui, dit-il, serait le meilleur maire de la province, si M. Préfontaine n'était pas maire de Montréal.

L'honorable Charles Langelier, député provincial de Lévis, parle ensuite. Il se dit heureux de constater la prospérité de Québec et la construction du pont, selon lui, ne fera que l'augmenter. Il souhaite que Québec ne soit pas jalouse de Montréal qui veut s'appeler port national, mais que les gens de Québec fassent de leur ville un port international.

Invité à adresser la parole, l'honorable S.N. Parent exprime sa reconnaissance aux dignitaires, pour avoir bien voulu rehausser de leur présence l'éclat de la fête. Parlant de la position de premier ministre qu'il vient d'accepter, il dit qu'il ne l'a fait qu'à son corps défendant.

Ayant vu feu l'hon. Marchand à l'œuvre, il pense ne pas être à la hauteur de la position. Cependant, il s'efforcera comme dans le passé de travailler pour les ouvriers de Québec. Il se dit un homme de peu de paroles, mais d'actions, lorsqu'il s'agit de la défense des droits de ses concitoyens. Si on dit de lui qu'il n'est pas orateur, par contre, il aura dans son cabinet des orateurs, pour tous les goûts et pour intéresser tout le monde. M. Parent termine en invitant le public à assister à l'inauguration du pont en 1903.

La foule appelle ensuite à grands cris, l'honorable M. Fitzpatrick, solliciteur général et député au fédéral du comté de Québec. Ce dernier dit quelques mots bien tournés dans les deux langues, puis viennent les honorables MM. Blair et Bernier.

M. Blair, le ministre des chemins de fer, dit que l'Intercolonial compte tirer profit d'un pont entre les deux rives, à Québec. Ce pont est nécessaire pour l'augmentation du commerce de Québec.

À son tour, le ministre du Revenu de l'Intérieur, M. Bernier, fait l'éloge de sir Wilfrid et du nouveau premier ministre provincial. Il évalue à quatre ans l'inauguration du pont de Québec.

La fête se termine vers cinq heures par de joyeux vivats en l'honneur de sir Wilfrid Laurier et de l'hon. S.N. Parent. La truelle en argent massif avec laquelle sir Wilfrid Laurier a cimenté la pierre angulaire du pont de Québec est un chef-d'œuvre de joaillerie. Le manche de la truelle est admirablement ciselé. Elle porte l'inscription: «*Présentée au Très Honorable sir Wilfrid Laurier, premier ministre du Canada, par le président et les directeurs de la compagnie du Pont de Québec, et M.P. Davis entrepreneur, à l'occasion de la pose de la pierre angulaire du pont de Québec, 2 octobre 1900*». Le marteau, aussi en argent et incrusté d'or est présenté à l'honorable M. Parent.

Début des travaux

Au cours de l'automne de l'année 1900, les travaux exécutés se concentrent surtout sur les deux rives du fleuve où les compagnies Davis et Phoenix procèdent à la construction et à l'aménagement de leurs installations. En peu de temps, surgissent différents bâtiments qui serviront de bureaux, d'ateliers, de hangars, d'infirmerie, de cafétéria, etc...

Au cours de l'hiver, la compagnie William Davis profite au maximum de cette saison morte pour faire les préparatifs en vue de la construction des piliers qui devront débuter dès les premiers signes du printemps.

Le 16 juin 1901, à 7:00 heures du matin, on doit procéder au lancement du premier caisson devant servir à la construction du pilier nord du pont. Un grand nombre de personnes se rendent à l'anse Victoria pour assister à l'événement. On remarque entre autres: M. Douglas, l'ingénieur du département des chemins de fer, M. Baillargé, l'ingénieur de la Cité de Québec, M. le Chevalier Chs Baillargé, M. Chs Édouard Gauvin, ingénieur et M. E.A. Hoare, ingénieur en chef de la compagnie du Pont.

Malheureusement, ce matin-là, le lancement est forcément remis au lendemain puisque les glissoires n'ont pu être terminées assez tôt et de plus, certains travaux ne sont pas exécutés à la satisfaction de M. Stuart, ingénieur à l'emploi de l'entrepreneur M. Davis.

Le lendemain matin, le lancement de ce premier caisson est réussi à 9:10 hres. Il mesure 150 pieds de long, 50 pieds de large, 25 pieds de haut. À 10:20 hres, le travail est terminé.

«Les caissons sont un moyen qui permet aux ouvriers d'avoir accès, à pieds secs, au fond d'une rivière ou d'un fleuve afin de pouvoir creuser ce fond jusqu'au niveau du roc solide. La méthode des caissons constitue une application importante et ingénieuse de l'air comprimé.

L'installation d'un caisson sur le lit d'une rivière n'est rien autre chose que la répétition en plus grand de l'expérience de la cloche à plongeur, exécutée dans tous les cours de physique. Si l'on enfonce une cloche en verre dans l'eau d'un vase quelconque, on constate que l'air de la cloche empêche l'eau d'y pénétrer; il ne peut y avoir de l'eau et de l'air au même endroit de l'espace en même temps, et si la cloche est maintenue sur le fond du vase, celui-ci s'assèche complètement.

Les caissons employés pour la construction des piliers des ponts sont d'immenses boîtes, à parois de bois très épaisses et très résistantes, ouvertes à la partie inférieure, séparées à l'intérieur en plusieurs parties par de nombreux compartiments, et que l'on enfonce dans l'eau, au moyen de lourdes pierres, jusque sur le lit de la rivière. Pour cette opération, il faut que l'air du caisson puisse sortir par une ouverture pratiquée à la partie supérieure et que l'eau pénètre à l'intérieur jusqu'au même niveau que celui du fleuve. Si maintenant on ferme le caisson et qu'on projette à l'intérieur, au moyen de pompes de compression, un puissant jet d'air comprimé, toute l'eau du caisson sera chassée par un tuyau approprié, et il suffira, pour qu'il reste vide d'eau, de maintenir constamment l'air à une pression convenable. Dès lors, les ouvriers pourront s'introduire dans le caisson et, travaillant dans l'air comprimé, creuser à leur aise le lit du fleuve.

Pour pénétrer dans le caisson, sans qu'il s'échappe de l'air comprimé, on a imaginé des espèces de cheminées divisées, par des planchers mobiles, en de nombreuses sections dans lesquelles les ouvriers passent successivement jusqu'au fond du caisson.

À mesure que l'on creuse le lit du fleuve, le caisson s'enfonce et l'on construit en même temps le pilier en maçonnerie sur sa paroi supérieure, de façon que le sommet du pilier soit toujours en dehors de l'eau. On poursuit cette opération du creusage jusqu'à ce qu'on ait trouvé un fond solide. Il ne reste plus qu'à remplir tous les compartiments du caisson d'une masse de béton, laquelle, une fois solidifiée, constitue la base du pilier.

Le travail des ouvriers dans l'air comprimé, à l'intérieur des caissons, est très pénible et ne peut se prolonger longtemps. Il requiert une excellente condition physique. Le passage de l'air à la pression ordinaire dans l'air comprimé exige des précautions particulières; les ouvriers ressentent souvent des douleurs aiguës dans les oreilles et, lors d'un changement trop brusque de pression, il y a danger d'hémorragie pulmonaire». [3]

Au pont de Québec, les ouvriers n'y demeurent qu'une heure à la fois et en ressortent bien souvent avec des saignements aux yeux et aux oreilles. Par contre, ce travail a l'avantage d'être mieux rémunéré puisqu'il rapporte 1 $ de l'heure à ceux qui s'y adonnent. [4]

De nombreux ouvriers y travaillent jour et nuit pour procéder à l'excavation jusqu'à 55 pieds en-dessous de la surface de l'eau et ainsi permettre au pilier nord de s'appuyer sur un fond de roc solide.

À cette époque, l'entrepreneur, M. Davis, a à son emploi 350 hommes à l'œuvre dans ses chantiers au Cap-Rouge et environ 300 dans les carrières. Un peu plus tard, lorsque les travaux de maçonnerie commenceront, ce nombre sera porté à 500.

Les travaux du pilier sud ne débutent qu'au début du printemps de l'année suivante et on profite une fois de plus de la saison d'hiver pour faire les préparatifs en vue de sa construction.

Pour ce dernier pilier, on doit creuser plus de 75 à 80 pieds au-dessous du lit du fleuve et le fond qu'on y trouve, réputé quand même très solide, n'est pas le roc, mais un mélange de sable et de gravier que les Anglais appellent du «hardpan».

De son côté, la Phoenix Bridge Co. qui a obtenu le contrat pour la construction de la superstructure débute ses travaux elle aussi. Le pont est construit par sections à Phoenixville en Pennsylvanie, et ces sec-

[3]   Abbé Henri Simard, Propos Scientifiques, 1920, p. 20-22.

[4]   Entrevue avec M. Théophile Cantin de St-Romuald en 1981.

Quelques ouvriers travaillant sur le chantier du pont de Québec en 1905.

tions sont reliées entre elles à Québec. Environ 200 hommes sont à l'emploi de la Phoenix Bridge Co. à Québec et travaillent sous les ordres de M.A.B. Milliken de Phoenixville.

Une grande partie de ces employés est recrutée chez les Indiens et ceci pour plusieurs raisons. D'abord, ces derniers constituent une main-d'œuvre experte pour ces genres de travaux car plusieurs ont déjà acquis de l'expérience en participant à la construction de quelques ponts d'importance aux États-Unis. Ils font un travail spécialisé qui requiert énormément de connaissances et d'habileté. La plupart travaillent comme riveurs, accoteurs ou assembleurs. Ces tâches exigent de plus une endurance et une force physique au-dessus de la moyenne. En outre, selon la croyance populaire, les Indiens ont la réputation de pouvoir travailler à des hauteurs phénoménales sans avoir le vertige. Cette faculté doit faciliter sans doute ce travail à grands risques.

Enfin, le taux élevé des salaires attire beaucoup de jeunes Indiens aux travaux du pont de Québec. Les salaires suivant l'échelle de l'union sont de 5,00 $ par jour pour tous les membres de l'union. Cette perspective de gagner beaucoup d'argent en peu de temps amène plusieurs à quitter famille et village pour s'engager au pont. Ces Indiens proviennent de Caughnawaga près de Montréal.

De jour en jour, d'année en année, un immense chantier s'élève aux portes de Québec.

Le pont à construire est le plus long cantilever au monde avec une ouverture libre de 1 800 pieds entre les piliers principaux. Sa travée principale excède de 100 pieds le célèbre pont de Forth qui surplombe le Firth of Forth, à Queensferry en Écosse. Sa travée suspendue mesure 675 pieds, ses deux bras cantilevers 562 pieds et 6 pouces chacun, et ses deux bras d'ancrage, 500 pieds chacun. Sa longueur totale est de 2 800 pieds n'incluant pas les travées d'approche et sa largeur est de 67 pieds mesurée d'un centre à l'autre des poutres armées latérales. La hauteur des poutres principales au-dessus des piliers principaux est de 315 pieds.

Ce pont est prévu pour recevoir deux voies ferrées et deux chemins comportant chacun des rails de tramways électriques.

Ingénieurs, techniciens et ouvriers, sous la chaleur de juin ou par un temps glacial de janvier s'attaquent à ce monstre d'acier aux dimensions gigantesques. Chaque matin, ils prennent le chemin du travail avec une certaine fierté au cœur. Ils sont de ceux qui participent à la construction d'un des plus gros ponts du monde. Avec eux, les Québécois et toute l'Amérique regardent s'élever cette super-structure que l'on qualifie déjà à l'époque de «huitième merveille du monde».

C'est ainsi qu'au cours des sept premières années du XXième siècle, les travaux se poursuivent progressivement, sans trop de difficultés. Lentement s'élève au-dessus du fleuve l'immense structure sud du pont.

À l'aube du 29 août 1907, les événements suivent leur cours normal, et surtout, rien ne laisse présager qu'un incident dramatique va se produire dans la journée.

Cette photo prise le 28 août 1907 par M.E.R. Kinlock, inspecteur des travaux, montre l'état des travaux de construction du premier pont de Québec la veille de son écrasement.

(Coll. St Lawrence Bridge Co.)

CHAPITRE III

LA PREMIÈRE GRANDE CATASTROPHE

À 05:37 heures de l'après-midi, le 29 août 1907, la structure sud du pont de Québec s'écrase dans les eaux du fleuve entraînant dans sa chute une centaine d'ouvriers.

Le bruit est terrible et se fait entendre à plusieurs milles à la ronde. Toutes les maisons des alentours sont secouées comme par un terrible coup de vent et les gens à proximité voient le pont tomber dans le fleuve, tandis qu'une épaisse poussière s'élève dans le ciel. Une colonne d'eau, d'une immense hauteur, s'élève dans le fleuve et est refoulée avec une force prodigieuse vers le rivage, l'inondant sur une longueur d'une cinquantaine de pieds. Le sol est ébranlé comme par les secousses d'un grand tremblement de terre dont on ressentira les effets jusqu'à Lévis.

La nouvelle de la chute du pont se répand comme une traînée de poudre. Un mouvement d'incrédulité et de stupeur est la première réaction à l'annonce de cette nouvelle effroyable à laquelle tout le monde se refuse de croire. Un cri d'effroi s'échappe de toutes les poitrines car plusieurs centaines de personnes sont employées aux travaux du pont.

À peine le bruit de la chute du pont est-il apaisé, que des femmes, des centaines sortant de toutes les maisons, s'élancent sur la route qui conduit au pont.

À sept heures, trois cents femmes et enfants bloquent complètement la circulation sur le pont Garneau qui traverse la rivière Chaudière à son embouchure. [1]

Des centaines de personnes venant de partout accourent également vers le lieu de la catastrophe et en quelques instants, de Lévis au

---

[1] Ce pont inauguré en 1890 fut démoli au cours des années '50 parce qu'il était devenu non-sécuritaire. Seuls les piliers demeurent encore aujourd'hui à l'entrée de la Marina de la Chaudière.

pont, c'est une longue et douloureuse procession composée des parents des victimes, d'amis et de curieux.

Le spectacle qui s'offre à toutes ces personnes est des plus désolant qui se puisse voir.

De la merveilleuse structure, jadis si imposante, si élégante, si savante, il ne reste plus qu'un amas de pièces d'acier tordues comme de minces broches dans un fouillis inextricable formant un chaos sans nom et d'où s'élèvent des cris de désespoir, des appels déchirants, des râles d'agonie. Une émotion intense paralyse toutes les énergies, affole tout le monde. L'angoisse la plus terrible étreint tous les cœurs. Dans ces cris, dans ces appels, dans ces râles, une épouse, une mère, un enfant croit entendre la plainte d'un époux, d'un fils, d'un père ou d'un frère.

Les secours s'organisent et l'on se précipite. Mais comment tirer de sous cette masse inextricable d'acier, pesant plusieurs milliers de tonnes, ces corps de morts ou d'agonisants?

Ces ouvriers sont devenus des loques sanglantes qui pendent lamentablement au bout des pièces d'acier tordues. L'on fait des efforts pour tirer un malheureux, penché, inerte sur une poutrelle; on ne retire que la partie supérieure du corps, la pièce d'acier l'ayant coupé en deux parties. Plus loin, un bras est crispé sur l'acier ensanglanté; il restera dans la main du sauveteur horrifié, ayant été arraché du tronc.

Sur la centaine d'ouvriers qui s'affairaient sur le pont au moment de l'horrible catastrophe, seulement quatre ou cinq survivent, plus ou moins gravement blessés. Les autres sont disparus, noyés dans le fleuve ou broyés sous l'amoncellement de débris.

On peut voir les jambes et les bras de trois cadavres écrasés sous des blocs de fer impossibles à remuer. Et ces cadavres resteront là, à se décomposer, car il sera impossible de les en retirer.

Un groupe de curieux découvre même sur le rivage un cœur humain très bien conservé avec quelques lambeaux de chair attachés aux parois.

Un cadavre est retiré des décombres avec la langue presqu'entièrement sortie de la tête. Un de ses compagnons la lui tranche avec son couteau et va l'enterrer à quelques arpents du désastre.

Autour des débris, des groupes de travailleurs vont et viennent, cherchant à la lueur de faibles lumières, à découvrir quelqu'une des victimes. Pour tirer des débris leurs camarades, des ouvriers doivent scier plusieurs barres de fer, arracher même des rivets. Dès qu'ils découvrent un cadavre, ils se fraient un chemin à travers les débris et le transportent à la cabane des travailleurs qui sert de morgue improvisée puis ils vont à la recherche d'un autre. L'un d'eux est tellement coincé entre les pièces de fer qu'il faut de toute nécessité lui enlever un bras et une jambe pour le libérer de l'entrave qui lui a fait perdre la vie.

Cette photo prise du pilier principal montre une vue générale de l'état du pont après l'écroulement.

(Photo: E.M. Finn, St. Lawrence Bridge Co)

Cabane des travailleurs où on entreposait les cadavres en attendant leur transport à la morgue.

(Photo: Beaudry, Québec, Archives nationales du Québec)

Plusieurs médecins et curés se rendent en toute hâte sur les lieux de l'accident et se dépensent sans compter pour accomplir leur devoir. Des mains jettent des toiles sur des débris informes et sur des corps que des milliers de tonnes de fer ont broyés comme des coquilles de noix.

À la porte du hangar où l'on a déposé les cadavres, un ouvrier est de garde afin d'empêcher les curieux d'entrer. Dans ce local de douze pieds sur dix, six cadavres sont étendus côte à côte, la tête recouverte d'un morceau de toile. Le premier porte son nom sur une étiquette, c'est Louis Horn, de Caughnawaga; le second a la tête complètement arrachée, un autre a la poitrine défoncée, un autre, la figure enfoncée comme une coquille d'œuf brisée et ainsi de suite. Le spectacle est navrant.

Des scènes pathétiques

Dès l'annonce de la nouvelle que le pont vient de tomber, plusieurs mères avec leurs petits enfants accrochés à leurs jupes prennent la direction du pont pour voir si leurs maris sont du nombre des victimes car, à l'heure du souper, ils n'ont pas pris place à table. D'autres, dont les maris ont été trouvés morts et ensanglantés, essaient de se rendre au pont, mais leurs forces les trahissent et elles tombent sans connaissance presque sous les pieds des chevaux.

Et dans les pauvres maisons, on entend des cris affreux, ceux d'un blessé qui va mourir bientôt et que le médecin tente d'arracher à la mort. Dans d'autres maisons, on voit des femmes, folles de désespoir courir à la rue avec leurs enfants dans les bras pour revenir à la maison et répéter plusieurs fois ce manège, la douleur agissant plus que la folie.

Une femme dont le mari a péri dans le désastre tente de le suivre dans l'éternité et c'est avec beaucoup de mal que l'on réussit à l'empêcher de sauter dans le fleuve où celui qu'elle aime a trouvé la mort.

À chaque minute, pour donner plus de relief à ces scènes tragiques, un messager apporte la nouvelle à ces malheureuses qu'un frère, un fils ou un mari est disparu. C'est navrant de voir le spectacle aux portes des demeures de St-Romuald: des hommes, des femmes en pleurs attendent pour voir si on ne leur ramènera pas un parent, un ami, un pensionnaire, mort ou blessé. Peut-être aussi, verra-t-on le nom de l'attendu, le lendemain, sur la liste noire des disparus.

Une femme avec son enfant dans les bras s'informe à toutes les voitures qui passent si son mari est retrouvé. Un peu plus loin, une famille entoure le lit d'un père recueilli mourant les membres broyés. Ailleurs, c'est une mère qui voit entrer un ou deux de ses fils portés sur des civières.

Vers la fin de la soirée de ce 29 août, soixante-dix ouvriers manquent encore à l'appel: dix cadavres ont été retrouvés, dix autres victimes dont plusieurs mourants ont été sauvés, souffrant de blessures terribles.

Dans les paroisses de St-Romuald et New Liverpool, la tristesse règne partout et les fenêtres sont toutes closes comme s'il y avait des mortalités dans toutes les maisons.

La nouvelle à Caughnawaga

À 18:30 heures le 29 août, M. Antoine Giasson, maître de poste de Caughnawaga reçoit le premier message téléphonique l'informant de la catastrophe.

Surexcité, convaincu que les veuves doivent apprendre leur malheur tôt ou tard, M. Giasson sort de sa demeure et crie: «Un malheur, un malheur, un horrible malheur!»

Lorsque les gens de la bourgade sont rassemblés, M. Giasson lance cette phrase qui fait frémir Caughnawaga: «Le pont de Québec s'est écroulé, tous nos amis sont morts». Immédiatement, on entend des cris de détresse et des gémissements aux quatre coins du village.

L'écroulement du pont de Québec vu de la travée d'approche restée intacte.　　　(Photo: E.M. Finn, St. Lawrence Bridge Co)

Inutile d'essayer de décrire la consternation qui règne ce soir-là au sein de la bourgade de Caughnawaga, dont chaque famille compte au moins une victime dans ce désastre.

Relatons seulement les paroles du Père Granger, leur curé qui résumera la situation en ces termes: «C'est le plus grand malheur qui ait atteint la bourgade depuis sa fondation».

Dans toutes les maisons du village, ce ne sont que des veuves en pleurs, des enfants en désolation et de vieux Indiens qui ravalent leur douleur en essuyant de grosses larmes.

Plus de cinquante Indiens de la réserve, parmi les meilleurs experts dans la construction métallique travaillaient au pont de Québec. À midi le lendemain, on apprend qu'une trentaine environ ont péri.

Parmi les victimes se trouvent les meilleurs joueurs de crosse du club Caughnawaga.

La famille la plus éprouvée, celle au sein de laquelle des vides profonds seront pleurés pendant de longues années est celle de Pierre D'Ailleboust. Les quatre fils de ce dernier sont morts ainsi que leur oncle, leur cousin et leur beau-frère.

Cette affreuse catastrophe signifie en plus pour toutes ces familles le début d'une grande misère. Quelques-unes d'entre elles comptent cinq ou six enfants, et la mort du père les laisse sans moyen de subsistance.

Le matin du 30 août, une trentaine d'hommes ou de femmes quittent Caughnawaga en direction de Québec afin de participer aux recherches et ramener les victimes le plus vite possible dans leur village.

La plupart des demeures indiennes affichent également leur symbole de deuil dans l'attente du retour des malheureuses victimes.

Le retour à Caughnawaga

Les pleurs et les lamentations déchirantes qui ont marqué l'annonce de la nouvelle au sein de la bourgade se reproduisent lors de l'arrivée des huit cadavres, les seuls retrouvés jusque-là, le dimanche matin 1er septembre.

L'arrivée des bières a lieu à 09:15 heures du matin à la gare d'Adirondack. Une à une les boîtes renfermant les cercueils sont descendues à la gare, et on les ouvre pour en retirer les cercueils qu'on transporte ensuite en procession au village.

Sur le seuil des maisons, les veuves attendent l'arrivée de la dépouille mortelle de leurs maris. Des chambres ardentes ont été préparées aux endroits où l'on doit exposer un ou deux cadavres. Dans l'après-midi, les maisons où reposent les victimes seront visitées par la bourgade et leurs amis. Le soir, a lieu la veillée des corps. Selon la

Quelques Indiens de Caughnawaga attendant des nouvelles de la catastrophe à la porte de leur bureau de poste.

(Photo «La Presse»)

mode indienne, durant toute la soirée, on prie et on chante de pieux cantiques autour des cadavres. Les chantres se divisent en deux groupes et vont de maison en maison diriger le chant des cantiques.

Tard dans la soirée, des étrangers arrivent des paroisses environnantes afin d'assister aux funérailles des victimes le lendemain matin.

La cérémonie funèbre à Caughnawaga

À l'aurore le lendemain, une brise assez forte fait flotter le drapeau à mi-mât, attaché au mât de la Commune, en face de l'église. Un premier corbillard arrive de Ste-Philomène, un autre de Châteauguay, un troisième de Lachine, et les deux véhicules funéraires de Caughnawaga sont ornés de noir et de croix enrubanées.

Vers huit heures, commence la procession des cercueils vers l'église. Derrière les porteurs, marchent les membres des familles suivis d'une quarantaine de membres de la cour Tékakwitha de l'ordre des Forestiers Catholiques, bannière en tête.

La procession est longue d'un demi-mille.

Comme il leur est impossible de se procurer plus de six corbillards, ils doivent par conséquent porter à bras d'homme, deux des cercueils. Une foule d'étrangers sont massés aux abords de l'église. Ils se découvrent respectueusement à l'arrivée des dépouilles mortelles. De chaque côté de la grande rue, se tiennent en file, les femmes indiennes, la tête recouverte de longs châles noirs et les yeux baissés dans une attitude de prière.

L'église est trop petite pour contenir l'immense foule. Des centaines de personnes doivent rester dehors. Les femmes s'accroupissent en file sur le gazon et prient durant toute la cérémonie.

Pour la circonstance, l'église de Caughnawaga est revêtue de tout ce qu'elle possède de décorations funéraires. En plus, chacun des assistants tient dans sa main, suivant la coutume en ces occasions, un cierge allumé. Le catafalque se trouve placé au milieu de la nef. Deux cercueils en forment le centre et ils sont flanqués de trois autres à droite et de trois autres à gauche.

Après l'évangile, l'officiant Mgr Bruchési adresse des paroles de sympathie et d'encouragement qui resteront longtemps gravées dans la mémoire des parents des victimes.

Après lui, M. l'Abbé Forbes, autrefois curé à Caughnawaga, ajoute qu'il déplore la perte de ces vigoureux et alertes Indiens du Sault St-Louis, dont le travail à la construction du pont de Vaudreuil avait émerveillé la population. Ses paroles provoquent les larmes de l'assistance.

Après le service, la procession reprend sa marche vers le cimetière. Une énorme fosse a été préparée pour recevoir les huit cercueils. Pendant que les fossoyeurs font ébouler le sable sur les tombes alignées, deux Iroquoises entonnent un chant des morts que tous répètent en chœur.

Les visiteurs sur le lieu du désastre

Dès les premières minutes suivant le désastre, les côteaux environnant le pont sont constamment remplis d'une foule avide de comtempler le spectacle de cette immense masse de fer recourbé sur les deux piliers du pont, tordu d'une façon épouvantable et au travers duquel l'on aperçoit des corps humains, qu'il sera très difficile de sortir de ces débris et qui resteront longtemps vivants dans leur fatal étau.

Au cours de la journée du lendemain, les tramways de la compagnie Lévis County Ltd. transportent 8 000 passagers pour visiter la scène du malheur. Il s'agit de leurs meilleures recettes en un jour depuis qu'ils sont en circulation. Ils accomplissent un trajet à tous les quarts d'heure au lieu des demi-heures. Certains wagons arrivent littéralement chargés, et sur l'un d'eux, on comptera 150 passagers.

L'inspecteur, M. Louis Couture est obligé de mettre des voitures électriques supplémentaires sur le parcours de la ligne et par la suite, il est dans l'obligation de déranger le service sur la côte de Lévis pour suffire un peu à l'affluence des passagers.

Les charretiers de St-Romuald font également une récolte de manne pendant ces jours d'affluence sur les lieux de la tragédie. L'un d'eux fait même une recette nette de 15.00 $. Six charretiers de St-Jean Chrysostome viennent même leur prêter main forte et tenter fortune à St-Romuald. En voiture à quatre roues, le prix du passage aller et retour pour deux ou trois personnes est de 1.50 $ à 2.00 $.

Des visiteurs sur les lieux du désastre viennent constater que 1284 pieds de ce qui s'appelait Le Pont de Québec n'est plus qu'un amas de débris tordus et informes.

(Photo: Archives nationales du Québec)

54

Les bateaux traversiers du Grand Tronc viennent au pont effectuer plusieurs voyages, y conduisant des foules immenses qui regardent avec stupeur cette superbe structure qui n'est plus aujourd'hui qu'un amas de débris.

Plusieurs personnalités de marque viennent également visiter les lieux de la catastrophe dans les jours qui suivent. Notons entre autres sir Louis Jetté, lieutenant-gouverneur de la province de Québec, l'Honorable Lomer Gouin, premier ministre du Québec, le major Sheppard aide de camp du lieutenant-gouverneur, le Dr. G.W. Jolicœur, coroner qui est chargé de l'enquête et M. Garneau, maire de Québec. Ils profitent de leur visite pour rencontrer les familles éprouvées et leur offrir leurs condoléances.

La cérémonie à Saint-Romuald

Son honneur le maire Garneau, maire de Québec convoque une assemblée publique afin de suggérer l'idée de proclamer un jour de deuil national et civique pour souligner le regret que tous ressentent pour le malheur arrivé.

Lundi le 2 septembre, jour de la fête du travail, est consacré au deuil national et aux funérailles publiques des malheureux morts au pont de Québec.

Lundi matin, la procession se forme à St-Romuald et se dirige, fanfare en tête, vers le village voisin, New Liverpool, où se trouvent les corps de quatre victimes dont on va procéder aux funérailles. La procession s'arrête à la demeure de chacune des victimes où la levée du corps se fait au milieu de sanglots déchirants et des scènes les plus émouvantes. La foule muette, émue, pleure en silence à la vue du triste spectacle de la dernière étape de la séparation.

Une fois les quatre corps déposés dans les corbillards, la procession reforme ses rangs et prend la route vers l'église paroissiale. En tête, marche la fanfare de St-Romuald qui fait entendre ses airs les plus tristes; ensuite vient la cour 3224 de l'Ordre des Forestiers Indépendants, les Artisans, les ouvriers en bois, les ouvriers de l'union locale des ouvriers du pont.

M. Ferdinand Roberge porte la croix. Les corbillards suivent, entourés chacun de quatre porteurs en tenue de deuil, et précédés de deux hommes portant des piques.

Le premier corbillard porte le corps de Victor Hardy. Le second, celui de James Hardy et le troisième porte les restes de Philippe Hardy. Le dernier char funèbre porte les restes de la quatrième des victimes du village de New Liverpool retrouvées jusqu'à maintenant, le jeune Wilfrid Proulx.

Derrière les quatre corbillards marchent sir Louis A. Jetté, l'Honorable Lomer Gouin et le major Sheppard, suivis à pied par près de

250 hommes de la paroisse et des villages environnants. Cette longue suite au cortège est suivie par une file d'au moins 75 voitures.

Le long de la route, à travers les rues de St-Romuald, le long cortège défile entre une double haie de spectateurs émus, au milieu du silence et du recueillement de la foule.

Arrivés à l'église, tous ces gens remplissent les sièges et obstruent tout espace libre depuis la balustrade jusqu'au jubé. Dehors, la foule est compacte mais recueillie et silencieuse.

L'officiant est le Rév. Père Garant du monastère des Pères Rédemptoristes de Ste-Anne de Beaupré, un enfant de la paroisse. Monsieur le curé Richard de St-Romuald est debout près de la sainte table, aux côtés de sir L.A. Jetté et de l'Honorable Lomer Gouin.

Les autorités civiques de Saint-Romuald sont présentes, soit M. Joseph Roberge, maire et messieurs les conseillers Boutin Bourassa, Jos. Nolin, N. Boucher, Jos Hardy et Henri Lagueux.

Au commencement du Libera, M. le curé Richard recommande aux prières des fidèles, les âmes de quinze victimes. Puis il donne lecture des télégrammes envoyés par le gouverneur général, Lord Gray et par l'ancien gouverneur général, Lord Minto.

Au cours du service funèbre, M. le curé, en quelques mots émus, exprime à la fois, les sentiments de ceux qui viennent prendre part au deuil de la paroisse et du pays et la reconnaissance de ceux qui sont l'objet de ces témoignages de sympathie.

Après le service funèbre, le cortège se rend au cimetière de St-Romuald. La fanfare précède le défilé, suivie de l'assemblée de la Feuille d'Érable et d'une grande foule. L'on dépose les tombeaux de ces valeureux ouvriers dans une fosse commune.

Quelques mois plus tard, afin d'honorer leur mémoire, un monument-épitaphe d'un style bien particulier sera érigé à cet endroit. On utilisera les pièces d'acier retirées du fleuve après l'écroulement du pont.

Les résidents de St-Romuald n'épargnent aucune peine pour faire de ces funérailles un deuil public. Nombre de citoyens garnissent leur résidence ou leur commerce de tentures noires ou violettes. Les vitrines des magasins arborent des draperies noires et on peut y lire des inscriptions comme «In memoriam» ou bien «À la mémoire des victimes du pont».

Cette année-là, à St-Romuald, la population est plongée dans un deuil profond. Aucune des réjouissances préparées à grands frais pour la fête du travail n'est exécutée. Tous les magasins ferment leurs portes durant le service solennel.

Pendant tout le reste de la journée, les visiteurs affluent au pont où l'on continue à découvrir de nouveaux cadavres.

La procession en marche vers l'église.

(Photo «Le Soleil»)

Sir L.A. Jetté et L'hon. Lomer Gouin sortent de l'église après le service funèbre.

(Photo «Le Soleil»)

Le monument-épitaphe élevé à même les pièces d'acier du pont écroulé que l'on retrouve encore aujourd'hui dans le cimetière de St-Romuald.

(Photo: Lise Carrier, journal le Peuple-Chaudière)

Les corbillards attendent la sortie des cercueils après le service funèbre.

(Photo: collection de l'auteur)

Dans les jours qui suivent, des scaphandriers descendent dans les débris du pont et y découvrent des choses affreuses. Leur descente se fait à une grande profondeur au milieu d'un courant très fort. Une fois au milieu des débris, ils voient un spectacle qui fait frémir; à travers ces débris de la structure, plusieurs cadavres sont pris entre les pièces de fer. Quelques-uns sont debouts, les membres tordus, la figure convulsée, et ce spectacle horrible terrifie les scaphandriers au point que la rumeur se répand qu'ils ne veulent plus descendre dans ce tombeau liquide qui contient tant de cadavres mutilés.

Quelques jours plus tard, les journaux contredisent ces informations suite à une entrevue avec Joseph Massé l'un des deux scaphandriers, lequel déclare que leur rapport a été mal interprété car il faisait trop sombre sous l'eau pour distinguer quoi que ce soit et qu'ils avaient pu à tâton toucher seulement des pièces de fer.

D'autres victimes

En cet après-midi du 29 août 1907, à l'heure même où se produisait cette tragédie, une locomotive s'avançait vers le tablier sud du pont, traînant deux wagons chargés de quatre-vingt-dix tonnes de fer. Trois employés y prenaient place: le mécanicien Harry McNaughton, le chauffeur Philias Couture et le serre-frein Omer Fontaine. Le convoi venait à peine de dépasser le milieu du pont que se produisit une inquiétante trépidation suivie d'un craquement. La locomotive avançait lentement puis, soudain, ce fut un autre formidable craquement et l'imposant support en fer qui s'élève au-dessus du dernier pilier se détache du pont et fait basculer les trois cents pieds du tablier qui s'avancent au-dessus du fleuve. Effaré, le mécanicien cherche à fermer immédiatement la vapeur, mais en vain. La locomotive continue d'avancer et s'engouffre dans les profondeurs du fleuve, entraînant dans sa chute les trois malheureux employés emprisonnés à leur poste.

M. McNaughton parvient à se dégager de son habitacle et est rescapé par une embarcation à environ 300 verges plus bas. Le chauffeur et le serre-frein sont tous deux entraînés avec la machine et ne seront jamais revus.

Un télégramme qui arrive trop tard

L'ingénieur-consultant des travaux du pont était M. Théodore Cooper, qui habitait New York. Plutôt faible de santé, particulièrement depuis deux ans, il n'avait pu se rendre lui-même examiner sur place les travaux de la construction, et devait se fier aux rapports soumis par les ingénieurs qu'il déléguait sur les lieux. On rapporte qu'il avait d'ailleurs demandé auparavant d'être relevé de ses fonctions afin d'être libéré de toute responsabilité dans cet important contrat.

Le matin même qui précéda la tragédie, soit le jeudi 29 août, M. McClure, l'un des inspecteurs délégués sur les lieux, se rendit exprès à New York pour faire rapport à M. Cooper qu'il venait de relever certains indices inquiétants dans la structure du pont. Sans tarder, M. Cooper envoie à l'ingénieur en chef de la Phoenix Company, à Phoenixville, le télégramme suivant:

«NE METTEZ PAS DE CHARGE ADDITIONNELLE SUR LE PONT DE QUÉBEC POUR LE MOMENT. VOUS FERIEZ MIEUX DE FAIRE UN EXAMEN MINUTIEUX IMMÉDIATEMENT.»

Or, à ce moment, il y avait grève des télégraphistes aux États-Unis, ce qui fait que la dépêche ne fut livrée aux intéressés à Phoenixville qu'au cours de l'après-midi. De plus, l'ingénieur sur place, M. Deans, était absent du chantier. Il fut de retour à cinq heures et quinze minutes plus tard, l'inspecteur McClure rentrait de New York pour faire part aux intéressés des ordres de M. Cooper et ordonner l'arrêt immédiat des travaux en cours.

Hélas! au moment même où messieurs Deans et McClure étaient en discussion, le pont s'écroulait.

Par la suite, on donna comme raison de la catastrophe le fait que le message de M. Cooper n'était pas suffisamment explicite pour inciter les responsables à cesser immédiatement les travaux.

Les victimes

Le lendemain, la nouvelle effroyable de la chute du Pont de Québec fait la manchette de tous les journaux d'Amérique. Le quotidien «Le Soleil» titre à la une: «Une terrible catastrophe», «Une Centaine d'ouvriers étaient à l'ouvrage», «Presque tous ont péri».

Déjà on peut présumer du nombre approximatif des victimes, nombre qui semble très élevé. L'appel des noms le lendemain matin indiquera que 76 ouvriers sont morts et que parmi ceux-ci, 26 sont des Canadiens, 33 sont des Indiens de Caughnawaga et 17 sont des Américains lesquels pour la plupart sont ingénieurs ou occupent des fonctions importantes au sein de la Phoenix Bridge Co. Parmi ces victimes, plus d'une cinquantaine ont péri écrasées ou enlisées sous un amoncellement de blocs de fer, tandis qu'une vingtaine d'autres se sont noyées dans le fleuve St-Laurent.

Encore aujourd'hui, on peut lire sur une plaque commémorative à l'intérieur de l'église de St-Romuald, la liste des 76 ouvriers décédés dans cette catastrophe. À titre d'information, nous reproduisons ici cette liste qui, en plus d'indiquer le nom de chaque victime, précise sa nationalité, son âge au moment du décès, son état civil ainsi que son lieu de résidence.

NOM	NATIONA-LITÉ	ÂGE	ÉTAT CIVIL	LIEU DE RÉSIDENCE
1 Albert Wilson	Canadien	20	C	Montréal
2 Jos. Binette	,,	24	C	,,
3 Jos. G. Boucher	,,	29	C	St-Romuald
4 Jos. Biron	,,	20	C	,,
5 Gustave Wilson	,,	18	C	,,
6 Stanley Wilson	,,	14	C	,,
7 Honoré Beaudry	,,	26	C	,,
8 Ernest Joncas	,,	29	M	,,
9 Zéphirin Lafrance	,,	18	C	Québec
10 Aimé Lebel	,,	19	C	,,
11 Eugène Dorval	,,	19	C	Place Sans Bruit
12 Lauréat Proulx	,,	19	C	New Liverpool
13 Albert Esmond	,,	17	C	,,

NOM	NATIONA-LITÉ	ÂGE	ÉTAT CIVIL	LIEU DE RÉSIDENCE
14 Harry French	,,	31	M	,,
15 Charles Hansen	,,	28	M	,,
16 Baptiste Croteau	,,	21	C	,,
17 James Hardy	,,	35	M	,,
18 Victor Hardy	,,	46	M	,,
19 Philip Hardy	,,	20	C	,,
20 Michel Hardy	,,	39	M	,,
21 Léo Esmond	,,	18	C	,,
22 Oscar Laberge	,,	23	M	,,
23 Wilfrid Proulx	,,	16	C	,,
24 Omer Fontaine	,,	21	C	Chaudière-Bassin
25 Philias Couture	,,	38	M	,,
26 John Mc Naughton	,,	28	M	,,
27 Louis Diebo	Indien	36	M	Caughnawaga
28 Joseph Doré	,,	45	M	,,
29 Frank Kirby	,,	28	M	,,
30 Louis Lee	,,	21	M	,,
31 James Goodleaf	,,	26	M	,,
32 Angus Blue	,,	23	M	,,
33 Thomas Bruce	,,	25	M	,,
34 Angus Montour	,,	23	M	,,
35 L. M. Jocks	,,	42	M	,,
36 John Jocko	,,	33	M	,,
37 André Rice	,,	43	M	,,
38 Peter Diebo	,,	19	C	,,
39 Mitchell Adams	,,	22	C	,,
40. Jos Mitchell	,,	22	C	,,
41 Jos Dionne	,,	19	C	,,
42 Louis Deer	,,	34	C	,,
43 Napoléon Lahache	,,	33	M	,,
44 Louis Albany	,,	21	M	,,
45 Louis O'Horne	,,	19	C	,,
46 Angus Diebo	,,	44	M	,,
47 Angus Leaf	,,	33	M	,,
48 John Norton	,,	26	M	,,
49 Thomas Jocks	,,	48	M	,,

NOM	NATIONA-LITÉ	ÂGE	ÉTAT CIVIL	LIEU DE RÉSIDENCE
50 Jos Lefèvre	,,	36	M	,,
51 J.C. Morris	,,	31	M	,,
52 James Mitchell	,,	22	M	,,
53 James D'Ailleboust	,,	25	M	,,
54 Jos Diebo	,,	26	M	,,
55 Michel Delisle	,,	25	M	,,
56 Jos French	,,	23	C	,,
57 Thomas Deer	,,	31	M	,,
58 Solomon Angus	,,	45	M	,,
59 Jos Deer	,,	19	C	,,
60 R.A. Yenser	Américain	39	M	Bowmanstown, PA.
61 J.W. Aderholdt	,,	26	C	Catawba, N.C.
62 Carl Swenson	,,	31	C	Fletcher, N.C.
63 Fra Fast	,,	35	C	Oberlin, O.
64 R.F. Smith	,,	29	C	Newfield N.Y.
65 A.O. Smith	,,	28	M	,,
66 E.A. Brind	,,	26	M	,,
67 P.C. Reynolds	,,	39	M	,,
68 Phil Garant	,,	29	M	Fall River, Mass.
69 Thos. Callabous	,,	33	M	Iona, Idaho.
70 James Bowen	,,	29	M	Buffalo, N.Y.
71 J.E. Jobuson	,,	32	M	Buffalo, N.Y.
72 C.A. Meredith	,,	26	C	Columbus O.
73 John Worley	,,	41	M	Boston Mass.
74 George Cook	,,	29	M	Brooklyn N.Y.
75 A.H. Birks	,,	29	C	Peoria Ill.
76 Harry Briggs	,,	37	C	New York N.Y.

Ce tableau permet de constater que la plus jeune victime a 14 ans et la plus âgée 48 ans. La moyenne d'âge de ces trois catégories de personnes est de 25,5 ans pour les Canadiens, 30 ans pour les Indiens et 34 ans pour les Américains. Quarante-quatre victimes sont mariées et trente-deux célibataires.

La famille Hardy de New Liverpool est particulièrement éprouvée recueillant quatre victimes: Victor Hardy, l'aîné; Philip Hardy, fils de Théophile et neveu de Victor; Michel Hardy, fils de Louis et neveu de Victor et Jimmy Hardy, également fils de Louis et neveu de Victor.

Pour ajouter au malheur de cette famille, en 1936 Honoré Hardy, fils de Eusèbe et neveu de Victor, perd également la vie en faisant une chute en bas du Pont de Québec alors qu'il était en train de le peindre.

Il est aussi intéressant de noter que l'ingénieur A.H. Birks, décédé dans cette catastrophe, était le neveu de Henry Birks, bijoutier de grande réputation. Il avait obtenu ses diplômes d'ingénieur à l'Institut Technique de génie civil de Boston. On le considérait comme un ingénieur de grand talent et la Cie Phoenix l'avait en haute considération.

Le surlendemain de l'accident, le frère de M. Birks, John Earl de Montréal, vient à Québec pour s'efforcer de faire retrouver le corps d'Arthur H. Birks. On pouvait même lire sur les journaux une annonce offrant une récompense de 300 $ à quiconque trouverait le corps de Arthur H. Birks. Malheureusement le corps ne sera jamais retrouvé.

La douleur de la population s'exprime collectivement dans une complainte composée pour la circonstance. Elle rappelle les sentiments les plus profonds, les scènes les plus déchirantes vécues par les familles de ces valeureux ouvriers. Elle est composée par Jean Trouvères et existe en six versions différentes. [2] Nous reproduisons ici l'une de ces versions:

COMPLAINTE SUR LE PONT DE QUÉBEC
(Air de la Pimpolaise)

1er Couplet

Jamais malheur aussi terrible
N'avait frappé les travailleurs
Que cette catastrophe horrible
Où sont morts deux cents ouvriers
La structure a cassé. Le pont est tombé
Dans l'eau et sous les décombres —
Entassé tous les malheureux.
Travaillant toujours à grand nombre
Sur cet enfer affreux.

2e Couplet

Le fleuve où sont tombées les ruines
Il n'est plus qu'un vaste tombeau
Pour les vaillants ouvriers nos frères
Tous décimés par les flots
Deux cents sont morts. Malgré tout
   effort
À Québec et à St-Romuald
À St-Nicolas comme à Liverpool.
Toutes ces nombreuses familles
ont dû prendre le deuil en un jour.

3e Couplet

Dans un grand nombre de familles
Le père et tous les fils sont morts
Et restant seule avec ses filles
La veuve fait de vains efforts
Pour les consoler et les élever
Car c'est la plus noire misère
Qui les frappe au pauvre foyer,
Où tous les garçons et le père
Ne sont plus là pour travailler.

4e Couplet

Que de regrets, que de larmes
Que laissent ces pauvres disparus
Qui sont au fond de l'abîme
Et sont toujours attendus.
Pauvres jeunes gens morts à la fleur du
   printemps
Malgré son courage et sa bravoure
La mort les a attaqués
Bien préparés, oui je l'avoue,
Puisque Dieu les a appelés.

---

[2]   Les archives de folklore de l'Université Laval.

5e Couplet

Hélas mes amis que d'outrages,
Que de sanglots que de pleurs,
C'est vraiment pénible à voir
Toutes ces demeures sont en deuil
Que de pauvres mères ont donc souf-
    fert,
Un corps part pour sa dernière demeure
Un nouveau doit être exposé
Dans plusieurs familles même
C'est ainsi que c'est arrivé.

6e Couplet

Pour secourir tant de misère
Tous les Canadiens sauront donner
À l'orphelin comme à la mère
Ce qui leur faut pour les sauver
De nombreux secours viendront tous les
    jours
Alléger un peu la souffrance
De la veuve et de ses enfants,
Car le cœur de toute la Province
Sait donner pour les survivants.

7e Couplet

Rien n'est plus triste que le spectacle
Que nous avons à déplorer.
Bien des familles attendent encore
Ces pauvres braves qui ont succombé
Les yeux fixés tout désolés
Espérant que quelques autres victimes
Soient retirées de l'horrible hécatombe
Mais hélas! c'est presque impossible
Car les étaux d'acier
Serrent plus fortement encore
Les malheureux qui engloutis ont été.

La compagnie Phoenix possède une assurance-accident de 1 500. $ pour chacun de ses employés. L'assureur est la compagnie «Ocean». C'est ainsi que les familles des victimes ont pu recevoir un certain dédommagement. De plus, un groupe de citoyens prend l'initiative d'ouvrir un fonds de secours en vue de pourvoir aux besoins immédiats des familles des victimes. À sa réunion du 5 septembre, le Conseil de ville de Québec vote une somme de 2 000. $ pour contribuer à ce fonds de secours. Ainsi un montant de 50. $ est distribué à chacune des 19 familles de St-Romuald et un montant de 500. $ est envoyé à Mgr Bruchési pour distribuer aux familles des victimes qui résident à Caughnawaga.

Quelques poursuites seront intentées contre la Phoenix Bridge Co. dont celle de M. Zéphirin Lafrance au montant de 15 000. $ par la suite de la mort de son fils Zéphirin Lafrance. Nous ne savons malheureusement ce qui résulta de ces poursuites.

Télégrammes de sympathie

À l'annonce de la nouvelle, des télégrammes de sympathie arrivent d'un peu partout dans le monde. Nous reproduisons ici quelques-uns de ces télégrammes.

Le roi Édouard VII

Le message royal suivant est reçu par le gouverneur général.

Marienbad, 31 août 1907.

«Le Roi désolé d'apprendre la nouvelle du désastre du pont de Québec, désire exprimer sa plus sincère sympathie aux parents et amis de tous ceux qui ont perdu la vie dans ce malheur».

Ponsomby

Le vice-roi des Indes

Le vice-roi des Indes envoie le message suivant au gouverneur général:

Simla, 31 août 1907.

«Dites s'il-vous-plaît au lieutenant-gouverneur de la province de Québec que je suis profondément peiné à la suite de cet horrible accident de pont».

Minto

Le gouvernement français

Le premier ministre reçoit de l'Honorable Fielding le câblogramme suivant:

Paris, 31 août 1907.

Sir Wilfrid Laurier,

«Le désastre du Pont de Québec et l'énorme perte de vies qui en est la résultante, a soulevé beaucoup d'émotion à Paris et provoqué de la part des autorités françaises l'expression des plus chaudes sympathies.

Aujourd'hui, M. Michon, ministre des affaires étrangères au nom du gouvernement français a adressé à MM. Fielding et Brodeur, les ministres canadiens actuellement à Paris, l'expression de leurs plus profondes sympathies à l'égard des familles et des amis des malheureuses victimes. Les ministres canadiens ont remercié M. Michon pour sa lettre de sympathie si amicale, qui ont-ils déclaré allait être portée immédiatement par câble à la connaissance de la nation canadienne».

Fielding

La ville de Bradford (Angleterre)

Bradford, 30 août 1907.

Au maire de Québec,

«Le maire de Bradford, Angleterre, désire exprimer les sympathies sincères des citoyens à leurs frères du Canada, à l'occasion du terrible accident arrivé à Québec, et il espère que les rapports qu'on en donne actuellement sont exagérés».

La ville de Toronto

Toronto, 31 août 1907.

Au maire Garneau,

«Toronto offre toutes ses sympathies à la ville de Québec pour toutes les pertes de vie et pour la calamité terrible qui vient de la frapper».

E. Coatsworth, maire

Le gouverneur de Terre-Neuve

St-Jean, 30 août 1907.

À Lord Grey,
Gouverneur général.

«De la part de Terre-Neuve, je désire exprimer au Canada ma sincère sympathie, relativement au désastre du Pont de Québec».

Sir William MacGregor,
gouverneur de Terre-Neuve.

Le gouverneur général du Canada

Ottawa, 30 août 1907.

«Lord Grey envoie un télégramme de sympathies au lieutenant-gouverneur Jetté, déplorant le deuil qui frappe un si grand nombre de familles par l'écroulement du Pont de Québec».

Réponse de sir L.A. Jetté

Québec, 31 août 1907.

À son Excellence le gouverneur général,
Ottawa.

«Je m'étais justement entendu avec mon Premier Ministre pour visiter les familles des infortunées victimes du terrible accident du pont quand j'ai reçu le télégramme de Votre Excellence et je ne manquerai pas de leur transmettre la bienveillante sympathie de Votre Excellence dans leur malheur».

L.A. Jetté

Le Premier Ministre du Canada

30 août 1907.

Maire Garneau,
Québec.

«Je vous prie d'exprimer aux citoyens de Québec et à tous ceux qui ont perdu des parents et amis, ma profonde sympathie dans l'affreux désastre arrivé hier soir. C'est le devoir de tous de ne pas perdre courage, nous devons nous remettre au travail pour réparer les pertes et continuer le projet avec énergie».

Sir Wilfrid Laurier

Le chef de l'opposition

«Je comprends l'importance que vous attachez à cette œuvre et je ressens comme vous le chagrin que vous devez éprouver ce soir en apprenant que le fruit de tant d'efforts s'est abîmé au fond du fleuve. Aux familles des victimes nombreuses que cet écroulement a englouties dans le fleuve, j'adresse mes plus sincères sympathies. Quant à l'œuvre elle-même, c'est une entreprise nationale à laquelle les deux partis sont liés et tout en s'assurant par une enquête complète de la cause du désastre, le pont de Québec devra être reconstruit dans le plus court délai possible».

R.L. Borden

Le Premier Ministre du Québec

«Je déplore profondément la catastrophe d'hier, et je m'associe au chagrin que ressent aujourd'hui tout citoyen de Québec. J'ai confiance malgré cet accident, que le pont de Québec sera, avant longtemps, une œuvre terminée. J'offre aux parents des victimes, l'expression de mes douloureuses sympathies».

Hon. Lomer Gouin

Le Maire de Québec

«Je suis profondément ému et navré de cette catastrophe, d'abord en raison des nombreuses pertes de vie qu'elle occasionne; et ensuite pour cause du retard forcé qui en résultera dans le mouvement de développement si heureusement commencé, de Québec comme centre de distribution.

Toutefois, en ce qui concerne cet aspect de la question, il ne faut pas se laisser aller au découragement et tout déplorable que soit l'accident au point de vue matériel, il n'est pas irrémédiable. Ce pont doit nécessairement se construire et il se construira. La plus profonde sympathie de tous, va spontanément aux familles des pauvres victimes, pour qui le malheur est irréparable.»

Némèse Garneau
Maire de Québec

Les survivants

Pour plusieurs ouvriers, cette affreuse catastrophe devait les conduire à une mort certaine; d'autres, par contre, dont l'heure n'était pas encore arrivée auront la vie sauve et certains par la peau des dents. Relatons ici quelques exemples de ces personnes qui ont pu s'en tirer presque miraculeusement.

Quelques instants avant la catastrophe, M. Ulric Barthe, secrétaire de la compagnie du pont de Québec, accompagné de M. Guillaume Couture, maître de chapelle de la cathédrale de Montréal et de MM. Jos Vézina, directeur de la fanfare de l'Artillerie Royale Canadienne, et Arthur Lavigne, président de la Société Symphonique de Québec se rendent au site du Pont pour visiter la partie sud dont la construction est quasi terminée. Ils profitent même de l'offre qui leur est faite pour monter sur la locomotive qui s'en va chercher des matériaux sur les chantiers de la Chaudière. Ils reviennent sur le convoi, et arrivés à l'entrée du pont lui-même, ils descendent. Le mécanicien de la locomotive, M. Mc Naughton insiste auprès d'eux pour aller jusqu'à l'extrémité du pont où il se rend avec son convoi de matériaux. Étant pressés de rentrer, ils déclinent l'offre et après avoir serré la main de l'ingénieur M. Birks, ils descendent par la grève et s'éloignent. Environ cinq minutes plus tard, ils entendent un grand bruit, se retournent et voient le pont s'écrouler.

Deux jeunes hommes échapperont aussi à la mort, d'une manière mystérieuse. Ils se tiennent debout sur le tablier du pont, au faîte de la dernière pièce d'acier, et quand celui-ci s'incline pour tomber, ils descendent vers l'onde avec le tablier et sautent à la nage au moment où la masse s'abîme. Tous deux gagnent la rive, avec quelques contusions.

Deux autres personnes l'échappent belle quand ils décident de quitter le travail, cette journée-là, vers 3 heures de l'après-midi soit environ deux heures trente minutes avant la catastrophe. Parmi ces deux personnes, se trouve le jeune Donat Nadeau, peintre.

Un contremaître, M. Théodore Lafrance décide de prendre ce jour-là sa première journée de congé depuis qu'il est à l'emploi de la Cie Phoenix, soit depuis trois ans.

Un jeune Hardy, membre de la famille du même nom qui perd quatre membres dans cet accident échappe à la mort comme par miracle. Il se tient au-dessous de la structure quand celle-ci s'affaisse, et il a juste le temps de faire un bond de côté quand une énorme pièce tombe à l'endroit même où il se tenait quelques instants auparavant.

Un Indien de Caughnawaga est forcé d'abandonner son travail quelques jours avant la catastrophe parce qu'il refuse de faire partie de l'union des constructeurs en pont. Son entêtement lui permet d'échapper à une mort brutale.

Un autre Indien, John Williams échappe au sort affreux de ses compagnons grâce à un accident survenu le samedi précédent. Il fit une chute d'une quarantaine de pieds qui résultat en une fracture de quelques côtes.

Un norvégien, M. Ingall Hall travaille au moment de l'accident au point extrême de la charpente d'acier, à une hauteur de 350 pieds au-dessus de l'abîme. Tout à coup, il sent que tout se dérobe sous lui. Il porte une paire de gants et se tient à une contre-flèche. Se sentant tomber dans le vide, il serre davantage le morceau de fer. Arrivé à l'eau, il crie de douleur puisque sa main est prise comme dans un étau entre le morceau de fer qu'il tient et un autre qui est venu se placer à côté. Il finit par se dégager et, quoique très épuisé par la perte de son sang et sa terrible chute, il réussit à s'emparer d'un morceau de bois flottant et se laisse aller à la dérive. Il atteint la grève environ un quart de mille plus loin où quelqu'un vient à son secours.

Thomas Montour, âgé de 21 ans de Caughnawaga travaille lui aussi à l'extrémité du pont. Il est juché sur l'une des traverses en fer lorsque l'écroulement se produit. Il voit sombrer la partie principale du pont et disparaître un à un ses compagnons. Voyant qu'il va subir le sort des autres, puisque la pièce qui le supporte va être entraînée dans l'effondrement, il décide désespérément de se précipiter dans le fleuve d'une hauteur de 185 pieds environ. Il perd connaissance en tombant et ne revient à lui qu'à la surface de l'eau. Il se laisse flotter tout en allant à la dérive. Il réussit à se cramponner à une pièce de bois et atterrit à un mille et demi plus loin, à moitié fou, et tellement surexcité qu'il demeure immobile sur le rivage durant plusieurs heures.

Alexandre Ouimet, 24 ans, est sur le pont au moment de l'écrasement. Il a un pied sur un madrier reposant sur la partie écroulée, et l'autre sur la partie restée solide. Ayant entendu un bruit derrière lui, il se retourne croyant qu'un char chargé de fer vient de se briser. C'est le pont qui lentement recule et s'effondre. Saisi d'effroi, il court se mettre en sécurité.

Un jeune homme du nom de Moreau, gardien sur le pont, avait averti les travaillants qu'il y avait une fêlure vers le milieu du pont et qu'elle allait en s'élargissant. Il ne retourne pas à son poste dans l'après-midi par crainte d'accident. Cet acte de prudence lui a probablement sauvé la vie.

Il faut dire aussi que le fort vent de cette journée mémorable avait empêché plusieurs ouvriers de se rendre au travail. Plusieurs ne voulaient pas risquer leur vie lorsque le vent soufflait trop fort.

La compagnie du Pont

Au moment de la catastrophe, le président de la compagnie du Pont, l'Honorable S.N. Parent est à Ottawa. Il revient d'urgence samedi matin le 31 août et dès son arrivée il se rend avec M. Hoare visiter ce qui reste de la merveille que l'on appelait le pont de Québec. À son retour il rencontre les journalistes et les ingénieurs et il tient par la suite une réunion à 11 heures avec les directeurs de la compagnie. Ils convoquent une deuxième réunion avec tous les actionnaires pour 3 heures de l'après-midi le 3 septembre.

Cette assemblée en présence des 50 actionnaires est présidée par l'Honorable S.N. Parent, président de la compagnie et M. Ulric Barthe, secrétaire de la compagnie agit comme secrétaire.

Au début de la réunion, M. Barthe fait lecture du rapport des directeurs pour l'année écoulée. Ce rapport annuel couvre les opérations de la Compagnie depuis la dernière assemblée générale annuelle.

Ce rapport annuel se termine par la lecture du rapport de l'ingénieur en chef en date du 27 août 1907 au sujet de l'état des travaux en cours d'exécution au Pont de Québec. Ce rapport se lit comme suit:

«J'ai l'honneur de faire rapport sur l'état des travaux en cours d'exécution au Pont du St-Laurent et à ses approches.

Le progrès des travaux de cette structure peut être considéré satisfaisant. À partir de la rive sud du fleuve, la superstructure métallique érigée à jour s'étend au-dessus du fleuve jusqu'à la quatrième section de la pavée centrale, soit environ 1450 pieds de la culée de terre jusqu'à 112 pieds du centre du pont. Le travail exécuté pendant la présente saison mesure jusqu'ici environ 600 pieds.

Sur un total d'environ 88 000 tonnes de métal pour la structure entière, il ne reste plus qu'environ 2 500 tonnes à fabriquer aux usines de Phoenixville, d'où on l'expédie à destination aussi vite qu'on peut se procurer des chars. Pour recevoir ces matériaux, il a fallu installer une cour d'entreposage, pleinement outillée de grues mobiles mues à l'électricité, près de la station de Belair sur la ligne du Pacifique Canadien, point où ces matériaux peuvent être commodément rechargés pour être transportés de bonne heure l'an prochain, sur la ligne du transcontinental, au dépôt final près du pont. La cour de Belair a été jugée nécessaire pour entreposer suffisamment de matériaux préalablement à l'érection à une distance raisonnable du Pont, attendu qu'il n'y avait aucun parti à tirer du dépôt terminal tant que les communications par rail feraient défaut. L'accumulation des pièces métalliques fabriquées à Phoenixville augmentait dans de telles proportions qu'il était nécessaire de les déloger aussi vite que possible sans égard aux besoins des travaux d'érection; pour cette autre raison aussi que le métal, laissé trop longtemps à l'aciérie, est endommagé par les gaz des hauts fourneaux, etc.

Les échafaudages en acier et bois pour l'érection du bras d'ancrage du côté nord seront complétés pendant la présente saison, avec protection contre les glaces. C'est une structure considérable et très dispendieuse mesurant 500 pieds de longueur et 150 pieds de hauteur, avec fondations entièrement enfoncées au-dessous de la ligne de marée.

Aucun ouvrage n'a été exécuté sur les approches du chemin de fer entre Québec et le Pont depuis la date de mon dernier rapport, mais la question a été discutée entre le gouvernement et les compagnies de chemin de fer intéressées aux terminus de Québec et est sous considération».

Le tout respectueusement soumis,

Votre obéissant serviteur,

E.A. Hoare

Puis, le président ajoute:

«RAPPORT ADDITIONNEL»

«Depuis que le rapport ci-dessus a été préparé pour cette assemblée générale, c'est le pénible devoir de vos directeurs de vous informer du terrible accident qui est arrivé il y a cinq jours, jeudi dernier 29 août, entraînant la chute de la majeure partie des ouvrages de la Phoenix Bridge Co. sur la rive sud. Sitôt après cet affreux événement, il n'y a rien de plus à dire que d'exprimer notre profond chagrin de la perte de tant de vies, et nos vives sympathies pour les familles éplorées des victimes. Le gouvernement a sur le champ pris les mesures nécessaires pour créer une commission d'ingénieurs chargée d'enquêter sur les causes de l'accident, qui peut à bon droit être considéré comme une calamité nationale. Vos directeurs croient interpréter le sentiment, non seulement des actionnaires, mais du pays tout entier, en disant que le devoir du moment est de faire appel à toute notre énergie en vue d'une prompte reprise des travaux. Le pont de Québec sera parachevé; c'est seulement une question de plus de temps. Dans d'aussi tristes circonstances, il est consolant de constater que nous sommes puissamment encouragés à regarder l'avenir avec confiance par les nobles paroles du Très Honorable sir Wilfrid Laurier dans un message au maire de Québec, dans lequel il dit que le devoir du moment est de ne pas perdre courage, mais de joindre toutes nos énergies pour réparer les pertes et continuer l'entreprise; de même que par la sympathique déclaration du chef de la loyale opposition à Ottawa, que le Pont de Québec est une entreprise nationale et doit être rebâti le plus tôt possible».

L'ingénieur en chef transmet la déclaration suivante au sujet de l'écroulement à savoir:

Québec, 31 août 1907.

M. le Président et MM. les Directeurs
de la Cie du Pont et Chemin de fer de Québec,

Messieurs,

Depuis vous avoir remis mon rapport en date du 27 courant pour l'assemblée générale des actionnaires, un terrible accident est arrivé le 29 courant ayant pour résultat l'entier écroulement de tout ce qu'il y avait de structure en acier érigée jusque-là en dehors de la pile d'ancrage de la rive sud, et de plus, la perte de tant de vies précieuses. Par la suite de cette fatalité, l'une des plus grandes calamités de cette nature qui ait jamais été enregistrée, c'est mon devoir de supplémenter mon premier rapport par les quelques observations suivantes:

Après examen, j'ai constaté que les piles de maçonnerie sont intactes, le niveau des couvrements n'ayant pas même varié: l'accident s'est donc confiné aux ouvrages en acier seuls.

Le soir du 27 courant, M. McClure l'ingénieur inspecteur résidant vint me faire voir un croquis montrant que les moulures de l'un des membres inférieurs du côté ouest du bras d'ancrage trahissait une déflection vers l'intérieur. Cette circonstance fut signalée le même jour à l'ingénieur consultant et à la Phoenix Bridge Co., mais pour éviter les détails et tout malentendu pouvant résulter de la transmission des messages, M. McClure partit le lendemain matin pour New York et Phoenixville pour discuter la question. À peine ces entrevues avaient-elles eu lieu que la structure s'écroula très soudainement. Que la pièce en question soit la cause de l'accident ou non, est encore chose incertaine. Personnellement je ne voyais pas de danger immédiat, mais en même temps je considérais l'accident suffisamment important pour envoyer M. McClure expliquer la situation à l'ingénieur consultant et à la Phoenix Bridge Co. Avant le départ de M. McClure, il me donna des renseignements satisfaisants quant aux niveaux de la pile et l'alignement des colonnes centrales. Quelques jours auparavant, les niveaux de déflection avaient été pris et s'étaient trouvés d'accord avec les calculs théoriques, indiquant que tout marchait dans l'ordre. Des constatations différentes eussent fait conclure que quelque chose allait mal. Une commission du gouvernement a été nommée pour rechercher et vérifier la cause du désastre. Dans l'intervalle, je dois me restreindre à ce qui précède».

Votre obéissant serviteur,

E.A. Hoare

Le rapport du bureau des directeurs est approuvé à l'unanimité.

L'Honorable M. Parent fait ensuite part à l'assistance que, si après enquête, les commissaires en viennent à la conclusion que les plans et les spécifications tels qu'en voie d'exécution ne sont pas satisfaisants, tout l'ouvrage devra être recommencé et que pour l'instant les travaux du côté nord sont suspendus.

M. J.H. Paquet trésorier de la Compagnie, soumet ensuite son rapport, dans lequel on voit que les coûts de construction du pont depuis les frais préliminaires jusqu'au 30 juin 1906, sont les suivants:

1 556 209,50 $ pour les fondations et la sous-structure
3 116 742,69 $ pour la superstructure

Ce dernier montant a été payé à la Phoenix Bridge Co. mais la somme de 163 577 $ est encore due à cette compagnie pour les travaux faits jusqu'à date.

Le Président informe les actionnaires que le prix du contrat pour le pont n'est pas fixé mais que l'estimé ordinaire du coût de la superstructure est de 3 500 000 $. Cependant, depuis la signature du contrat le prix de l'acier a augmenté considérablement.

Par la suite, le président M. Parent dit qu'à l'assemblée de l'année précédente, il avait exprimé le désir de se retirer comme président et directeur de la compagnie, mais que ses désirs n'ont pas été exaucés et il a dû rester à la présidence. Cette fois-ci, il se dit décidé à se retirer de la présidence et demande à être remplacé à ce poste par un résidant de Québec étant donné qu'il demeure à Ottawa.

Il demande que son nom sur les bulletins de vote soit remplacé par celui de M. J.H. Walsh. M. Walsh ne peut accepter la présidence puisqu'il est le représentant du chemin de fer le Québec central, et il suggère que dans l'intérêt de toutes les parties concernées, l'honorable S.N. Parent demeure le président de la Compagnie du Pont de Québec. Cette proposition est appuyée avec force par M. W.M. Dobell qui ajoute que le départ de l'honorable Parent de la présidence constituerait un second échec au Pont.

M. Parent fait remarquer que depuis la dernière assemblée générale de la Compagnie du Pont, certains membres du Parlement Fédéral ont fait des insinuations contre la compagnie du Pont de Québec et il ajoute qu'il est convaincu que ces insinuations sont faites pour la seule raison que c'est lui le président et que c'est pour cette raison qu'il veut démissionner.

Plusieurs directeurs donnent leur opinion au sujet de l'excellent travail accompli par M. Parent depuis qu'il est président, et seul le sénateur Choquette représentant le gouvernement Fédéral à cette assemblée s'oppose à la réélection de M. Parent comme Président.

Il est même proposé qu'une indemnité de 3 000 $ soit votée au Président de la Compagnie du Pont. La motion est adoptée, seul le Sénateur Choquette vote contre.

L'on procède ensuite à l'élection des directeurs de la Compagnie avec le résultat suivant:

MM. Allan, Audette, V. Boswell, Hon. N. Garneau, G. Lemoine, Hon. S.N. Parent, H.M. Price, Hon. J. Sharples, MM. J.B. Laliberté, P.B. Dumoulin.

À une assemblée subséquente des directeurs, l'hon. Parent sera réélu président de la Compagnie du Pont de Québec et M. Rodolphe Audette, vice-président de la Compagnie.

Après plusieurs tergiversations, la Compagnie du Pont de Québec, endettée, incapable de poursuivre les travaux, cède ses intérêts au gouvernement Fédéral. [3]

---

[3] Les faits rapportés dans ce chapitre sont extraits des journaux suivants: «La Presse» et «Le Soleil».

CHAPITRE IV

LA COMMISSION ROYALE D'ENQUÊTE

Le gouvernement fédéral institue une commission royale d'enquête afin d'étudier les causes de l'effondrement de la structure du pont de Québec.

Cette commission est dirigée par M. Henry Holgate, ingénieur civil de Montréal, qui est assisté de M. le professeur Kerry de l'Université McGill et du professeur Galbraith de l'Université de Toronto. La commission siège au palais de justice de Québec dans la salle de la cour criminelle.

Après un travail d'examen préliminaire et de quelques visites des lieux de la tragédie, la commission tient sa première session lundi le 9 septembre 1907 à 10 heures du matin. Au cours de cette enquête, les commissaires entendent plusieurs témoins, revisent les plans et la marche du travail et étudient en profondeur tous les documents qui furent utilisés au cours des sept années de travaux. Le 10 mars 1908, après six mois de travail assidu, les commissaires présentent leur rapport au parlement fédéral.

Dans ce rapport volumineux, les commissaires énumèrent les causes du désastre, font l'historique de l'entreprise et expliquent les négociations qui eurent lieu entre le gouvernement fédéral, la Quebec Bridge Co. et les différents personnages officiels intéressés à un titre quelconque à la construction du pont.

En plus, les commissaires tiennent dans leur rapport à reconnaître la cordiale coopération des compagnies directement concernées. MM. Cooper, Szlapka, Deans et Hoare, ont particulièrement à leur avis fait tout ce qu'ils pouvaient pour les aider à établir des faits sans chercher à s'épargner eux-mêmes. Même si certains énoncés leur apparaissent contradictoires dans les témoignages rendus dans les premiers jours de l'enquête par certains témoins sur lesquels retombaient le poids du désastre, ils attribuent ce phénomène à la tension nerveuse dont souffraient ces témoins à ce moment.

Les causes du désastre

Le rapport indique que l'effondrement du pont de Québec a résulté de la rupture des membrures inférieures de la culée d'ancrage près du pilier principal. La rupture de ces membrures était due à leur conception défectueuse et non à des conditions anormales de température ou à un accident. «Il était normal que cela se produise dans le cours régulier de la construction».

Le plan des membrures qui se sont rompues avait été fait par M.P.L. Szlapka, l'ingénieur dessinateur de la Phoenix Bridge Co. et il avait été examiné et officiellement approuvé par M. Théodore Cooper, ingénieur consultant de la Quebec Bridge and Railway Co.

La rupture ne peut être attribuée directement à d'autres causes qu'à des erreurs de jugement de la part de ces deux ingénieurs. Leurs erreurs ont été causées soit par un défaut ordinaire de science professionnelle, soit par une négligence à remplir leurs devoirs ou simplement à un désir d'économiser. Il faut dire que la compétence de ces deux ingénieurs était mise à l'épreuve dans l'une des constructions les plus difficiles à réaliser et ils n'ont pu être à la hauteur de la situation.

Les commissaires ne considèrent pas que les devis pour cet ouvrage étaient satisfaisants puisque les tensions par pouce carré étaient trop élevées et même plus considérables que dans tout autre ouvrage précédent. Ces devis ont toujours été acceptés sans protestation par tous les intéressés; ce qui n'est pas une situation normale.

En plus, une grande erreur de calcul a été commise par les ingénieurs en sous-évaluant le poids réel des composantes structurales du pont. Ces données fausses ne furent pas revisées non plus par la suite. Cette erreur était assez importante pour exiger la condamnation du pont; car même si la membrure inférieure avait été réalisée selon les plans et devis originaux, elle n'aurait pu supporter longtemps le poids du pont. Cette déduction erronée a été faite par M. Szlapka et ensuite acceptée par M. Cooper, ce qui contribua à hâter le désastre.

La commission des ingénieurs est d'avis qu'aucune action prise après le 27 août n'aurait pu éviter la chute du pont. Tout effort pour poser des entretoises ou pour démolir cette construction eut été impraticable à cause du risque évident de pertes de vies qu'il eût comporté. Toutes les pertes de vies du 29 août auraient pu être évitées par l'exercice d'un meilleur jugement de la part de ceux qui étaient chargés de la responsabilité de l'ouvrage pour la Quebec Bridge Co. De plus, la Quebec Bridge Co. est blâmée pour avoir nommé un ingénieur de pont inexpérimenté au poste d'ingénieur en chef. Il en est résulté une surveillance relâchée et insuffisante de toutes les parties de l'ouvrage.

Toutefois les commissaires reconnaissent que tout le travail fait par la Phoenix Bridge Co. en préparant les dessins des détails, en concevant le montage et en l'exécutant, et celui de la Phoenix Iron Co. en fabriquant les matériaux était bon et l'acier employé était de bonne

Vue d'ensemble de la partie écroulée du pont représentant environ 12 000 tonnes d'acier et laissant intacts les piliers en maçonnerie construits par la compagnie M.P. Davis.

(Photo: Archives nationales du Québec)

qualité. Les défauts majeurs ont plutôt été des erreurs fondamentales dans le plan.

Aucun de ceux qui avaient la responsabilité du plan général ne comprenait pleinement la magnitude de l'ouvrage non plus que l'insuffisance des données sur lesquelles ils se basaient. Les études expérimentales spéciales et les recherches nécessaires pour confirmer le jugement de ceux qui avaient préparé les plans n'ont jamais été faites ni même envisagées. Les connaissances professionnelles de l'époque concernant l'action de colonnes d'acier chargées n'étaient pas suffisantes pour permettre aux ingénieurs de faire économiquement des plans pour des constructions comme celle du pont de Québec. Il est incontestable aux yeux des commissaires que pour construire un pont de cette longueur qui soit d'une sécurité parfaite, il aurait fallu utiliser une quantité de métal beaucoup plus considérable.

La réputation professionnelle de M. Cooper était telle, que le choix qu'on a fait de lui pour le poste éminent qu'il a occupé était justifiable et la complète confiance qu'avaient en lui les fonctionnaires du gouvernement fédéral, la Quebec Bridge and Railway Co. et la Phoenix Bridge Co. était méritée.

Une question importante à régler était de savoir si le gouvernement, par suite de la garantie de l'approbation officielle des plans, devait supporter la responsabilité des pertes encourues, ou si la Phoenix Bridge Co, qui avait préparé les dessins jugés défectueux devait en être tenue responsable. Une question de cette importance impliquant plusieurs millions de dollars devrait être tranchée par les tribunaux car elle n'est pas du ressort de la Commission toujours selon les commissaires.

Après un court historique de la compagnie du pont de Québec, il est question dans le rapport de l'impact des ressources limitées sur les plans du pont. Il est évident selon les commissaires que la compagnie manquait de fonds et qu'elle s'était mal prise pour demander des soumissions étant donné l'importance considérable des travaux à exécuter. Si, d'une part, il n'y avait pas de preuve que les travaux avaient été exécutés à bon marché, il était cependant facile de démontrer le manque de ressources de la compagnie du pont de Québec. Ceci avait beaucoup nui à la bonne marche de l'entreprise.

Après un résumé de la preuve touchant la découverte d'une inclinaison dans l'un des principaux piliers du pont, ce qui nécessita l'envoi de l'ingénieur McClure à New York pour en discuter avec M. Cooper, le rapport conclut ainsi:

«Il était évident, ce jour-là, que le plus grand pont du monde allait être construit sans qu'un seul homme dans l'entourage fut en expérience, en connaissance, en habileté, compétent pour exécuter l'entreprise. M. Yenser était un excellent surintendant mais, il n'était en aucune façon qualifié pour traiter un tel problème. M. Birks, très intelligent, manquait d'expérience, et M. Hoare, conscient qu'il n'était pas qualifié pour donner des instructions, approuvait simplement ce que MM. Yenser et Kinloch ordonnaient, sans se soucier de faire un examen personnel des éléments structuraux sous tension qui donnaient déjà des signes de faiblesse. Peu après onze heures, le 29 août, M. Cooper se rendit à ses bureaux et y trouva M. McClure. Après une brève discussion, M. Cooper envoya à Phoenixville un message télégraphique conçu en ces termes: «N'ajoutez de charge supplémentaire au pont qu'après avoir considéré tous les détails de la manière la plus minutieuse. McClure sera là à 5 heures».

Ce message est reçu à Phoenixville à 1:15 heure p.m.. M. Cooper est alors sous l'impression qu'on a complètement cessé de travailler sur le pont. M. McClure avait promis de faire parvenir immédiatement à M. Kinloch à Québec la réponse de M. Cooper, mais il ne le fait pas. M. Deans prend connaissance du télégramme de M. Cooper à 3 heures de l'après-midi, et lorsque M. McClure arrive de New York, ils se consultent avec M. Szlapka. Il est décidé de remettre au lendemain matin toute décision d'action et d'attendre l'arrivée de la lettre de M. Birks, datée du 28 août. Cette décision est prise presqu'au moment précis où le pont s'écroule.

Les commissaires affirment être en position de savoir que pas une personne qui travaillait au pont ne prévoyait un désastre immédiat et ils croient que l'opinion de M. Cooper était justifiée. Il avait compris que la construction avait été suspendue et qu'avec nulle autre charge additionnelle, le pont aurait pu tenir encore longtemps.

Durant l'enquête, des témoins ont prouvé qu'aucun moyen temporaire, tel que proposé par M. Cooper, n'aurait pu arrêter plus longtemps le désastre. Il aurait pu peut-être empêcher les cordes de plier, mais il serait survenu quelque accident par la suite du dévissement des rivets ou de leur enlèvement.

Les commissaires poursuivent leur rapport en disant que la Phoenix Bridge Co. n'a pas montré une grande habileté dans le dessin des joints du pont, et n'a peut-être pas non plus apporté tout le soin voulu, une fois les pièces rendues pour l'assemblage.

Le rapport affirme de plus que l'ingénieur Deans a manqué de jugement et du sens des responsabilités lorsqu'il ordonna la continuation des travaux au moment critique. Les incidents des deux ou trois derniers jours qui précédèrent la catastrophe devaient rendre nécessaire sur les lieux, la présence d'un ingénieur compétent et responsable.

De plus, les commissaires concluent que les entrepreneurs ont offert leurs soumissions en se basant sur des données insuffisantes.

Après avoir établi que le personnel employé aux travaux du pont était insuffisant et mal organisé, les commissaires déplorent grandement aussi l'absence d'un ingénieur compétent sur les lieux.

Comme le gouvernement du Canada était mêlé à l'affaire en tant que bailleur de fonds et faisait l'approbation finale des plans, ils déplorent qu'en aucun temps ce dernier n'a apporté de restriction aux travaux eux-mêmes, et n'a exercé aucune autorité sur les entrepreneurs.

L'exécution du contrat et la disposition des fonds votés par le gouvernement étaient entièrement laissés à la compagnie du Pont de Québec. Le gouvernement fédéral se contenta de nommer un inspecteur chargé de préparer les estimés et le département des chemins de fer et canaux avait seulement chargé quelqu'un de s'assurer à Phoenix-ville, quelles quantités de matériel étaient expédiées. La seule instance qui traita donc réellement avec la Phoenix Bridge Co. fut la compagnie du Pont de Québec.

Les commissaires sont unanimes dans leur rapport.

CHAPITRE V

LA CONSTRUCTION D'UN DEUXIÈME PONT

En 1908, le gouvernement du Canada décide de reconstruire le pont de Québec, puisque ce dernier constitue un lien essentiel au chemin de fer Transcontinental, entre Moncton au Nouveau-Brunswick et Winnipeg au Manitoba, dont la ligne est alors en construction. Le 17 août 1908, le gouvernement fédéral adopte un arrêté ministériel et, par l'intermédiaire du ministre fédéral des Chemins de fer et des Canaux, charge trois ingénieurs de voir à la reconstruction du pont.

Les ingénieurs choisis par le ministère sont M. H.E. Vautelet de Montréal, qui a été auparavant l'adjoint de l'ingénieur en chef du Canadien Pacifique; M. Maurice FitzMaurice, un britannique qui a participé à la construction du fameux pont Forth en Écosse et M. Ralph Modjeski de Chicago, qui a acquis une vaste expérience dans la construction des ponts à longue travée. M. Vautelet est désigné président et ingénieur en chef.

L'arrêté ministériel mandate ces ingénieurs de faire un examen en profondeur des plans existants du premier pont, de voir à leur apporter des modifications au besoin et d'étudier la pertinence de les utiliser à nouveau; le matériel étant déjà disponible.

Ils sont chargés aussi de faire l'examen complet des piliers du pont et des parties de la superstructure qui sont demeurées en place, de façon à s'assurer de leur solidité.

Dans l'éventualité où cette commission d'ingénieurs arrive à la conclusion qu'il n'est pas opportun d'adopter ou de modifier les plans existants, elle a charge d'en préparer de nouveaux en y précisant les devis, les esquisses, l'estimé des coûts et tout le travail préalable à ce genre de construction.

L'arrêté ministériel précise également que l'entière responsabilité de la reconstruction du pont repose sur les épaules de cette commission d'ingénieurs et qu'en cas de divergence d'opinions entre les membres de la commission, ils doivent faire appel à des ingénieurs éminents pour les aider à régler le litige.

Leur première rencontre se tient à Ottawa le 31 août 1908. Tel qu'exigé par l'arrêté-en-conseil ils portent en premier lieu leur attention sur l'étude des plans du premier pont. Tel qu'il avait été suggéré dans le rapport de la commission royale d'enquête, les ingénieurs décident d'un commun accord que l'ancien matériel ne pourrait être utilisé dans la reconstruction et que des changements radicaux dans les devis devaient être apportés de façon à s'adapter à l'évolution de l'ingénierie moderne. De plus, il leur apparaît impossible d'utiliser la maçonnerie déjà existante en raison des nouvelles dimensions du pont dont ils décident de porter la largeur de 67 à 88 pieds.

Sur la rive nord, il est décidé de construire un nouveau pilier plus gros, à 57 pieds au sud de l'ancien et 15 pieds à l'ouest. Sur la rive sud, les dimensions de l'ancien pilier, qui est demeuré intact après la catastrophe, sont changées de façon à le renforcer et à l'adapter au nouveau concept, ce qui a pour conséquence de déplacer son centre de 15 pieds vers le sud-ouest.

Le problème de la hauteur libre pour la navigation est discuté de nouveau. L'ancien pont prévoyait un espace libre de 150 pieds à la marée la plus haute. Plusieurs compagnies de navigation font pression afin que la hauteur du nouveau pont soit modifiée de façon à permettre le passage de bateaux avec des mâts plus hauts.

Le fait d'avoir une hauteur libre de 150 pieds à la marée la plus haute avait obligé les ingénieurs de la Phoenix Bridge Co. de prévoir une pente de 1 % pour la voie ferrée sur les cantilevers. Étant donné qu'une pente déjà très abrupte se trouve aux deux extrémités du pont, une hausse au-dessus de 150 pieds représente une augmentation considérable du coût total du pont. Il est donc décidé que le nouveau pont aura la même hauteur libre que l'ancien au-dessus du niveau d'eau le plus haut.

Dès le début des travaux les ingénieurs semblent favorables à la construction d'un autre pont de type cantilever et plusieurs études en ce sens sont faites. Toutefois, ils apportent beaucoup d'attention à examiner la possibilité de construire un pont de type suspendu. Ils n'y trouvent finalement aucun avantage supplémentaire et y voient même certains désavantages pour un pont qui aura à supporter de lourdes charges. Ils décident donc de s'en remettre de nouveau au principe du cantilever.

La sous-structure:

Les soumissions pour la construction de la sous-structure du nouveau pont sont demandées pour le 26 octobre 1909. Les firmes suivantes soumissionnent:

M.M. M.P. & J.T. Davis, Québec;
M. Connolly, Montréal;
M.M. Larkin & Sangster, Trenton, Ont.

La compagnie M.P. & J.T. Davis étant la plus basse soumissionnaire se voit accorder le contrat le 10 janvier 1910. C'est cette même compagnie qui s'était vue octroyer un contrat identique dix ans auparavant lors de la construction du premier pont.

Avant que le travail ne débute, il faut débarrasser les rives du côté sud de l'amas de ferrailles qui git depuis le 29 août 1907. Le contrat pour effectuer ce travail est accordé à la Compagnie Charles Koenig de Québec le 9 avril 1910. C'est ainsi que tout l'acier tordu, visible à marée basse, sera enlevé entièrement. Ce travail s'effectuera pendant plus de deux ans puisqu'il ne sera terminé que le 31 août 1912. L'on estime qu'environ 60 % de cette ferraille a dû être dynamitée ou coupée avec des torches à oxyacétylène et que chaque tonne de matériel enlevé a exigé l'utilisation de 10 pieds cubes de gaz oxygène ou de 5 livres de dynamite. La masse totale à déblayer était de 9 000 tonnes.

En raison de ce travail de déblaiement, les travaux de sous-structure débutent d'abord du côté nord. Le caisson pour le pilier principal nord est construit au printemps 1910 à Sillery. On le remorque jusqu'à son emplacement prévu, et on le place en position en août de la même année. Il mesure 180 pieds par 55 pieds.

En dépit des nombreuses précautions prises, le caisson présente des problèmes puisque l'air s'échappe de la chambre de travail et on doit le ramener en cale sèche à Lévis pour le réparer.

Pour résumer les travaux de la sous-structure au cours de l'année 1910, la compagnie Davis a travaillé à ses installations sur la rive nord ainsi qu'à la construction du premier caisson et ensuite à sa réparation.

En 1911, les caissons du côté nord sont descendus, le pilier intermédiaire est complété et l'on débute la construction du pilier d'ancrage nord; ce qui totalise un volume de 22 405 verges cubes de maçonnerie pour la saison.

En 1912, le caisson sud est descendu à son tour et en même temps les travaux se complètent au niveau des piliers nord. Un total de 41 465 verges cubes de maçonnerie sont mises en place au cours de cette année.

En 1913, les travaux au niveau des piliers sud commencés la saison précédente sont complétés, ce qui totalise un volume de 42 220 verges cubes de maçonnerie pour cette dernière saison des travaux.

Au cours du mois de juin 1910, M. Fitzmaurice démissionne de son poste et est remplacé en septembre de la même année par M. Charles McDonald qui accepte le poste pour un temps bien défini, c'est-à-dire jusqu'à ce que les soumissions soient reçues et le contrat pour la superstructure, accordé.

Photo montrant les vérins utilisés pour le lancement du caisson.

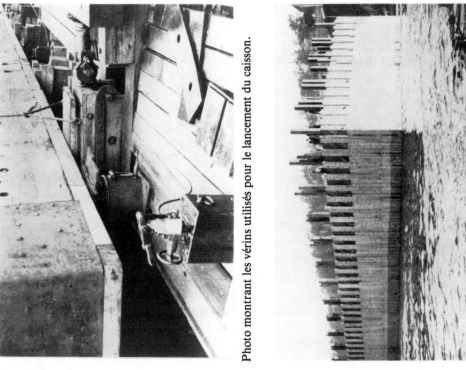

Le caisson immédiatement après son lancement

Abaissement du caisson en vue du lancement.

Lancement du caisson.

Vue générale de la sous-structure complétée.

(Photo: St. Lawrence Bridge Co.)

Aux élections fédérales du 21 septembre 1911, le gouvernement libéral de sir Wilfrid Laurier est défait. Tel que promis, le gouvernement conservateur de M. Borden continue loyalement l'entreprise de sir Wilfrid. De portée nationale et urgente, l'oeuvre garde priorité sur les besoins de guerre, car les échos du conflit de 1914-18 remplissent alors les journaux de l'époque.

La Superstructure

Les soumissions pour la construction de la superstructure du pont sont reçues par le Ministère des chemins de fer et des canaux au mois d'octobre 1910. Quatre compagnies soumissionnent:

Pennsylvania Steel Company, Steelton, Pa.;
British Empire Bridge Company, Montréal et Angleterre;
Machinen-Fabrik Augsburg-Nuremberg, Allemagne;
St. Lawrence Bridge Company, Montréal.

La photo 5.3 nous donne un aperçu des esquisses des projets de ces différentes compagnies soumissionnaires.

La Pennsylvania Steel Co. dépose onze soumissions: dix en conformité avec les devis de la commission des ingénieurs et une présentant le devis d'un pont suspendu.

La British Empire Bridge Co. soumissionne selon le devis accepté par le bureau des ingénieurs et à partir duquel ils ont demandé les soumissions. Leur devis a ceci de particulier qu'il se présente selon trois modes d'érection de la travée suspendue.

La Machinen-Fabrik Augsburg-Nuremberg présente cinq soumissions: quatre selon le devis proposé et une de leur propre création.

La St. Lawrence Bridge Co. présente treize soumissions: six conformes au devis proposé et sept originales.

Après étude de toutes les soumissions reçues, la commission des ingénieurs est incapable de faire consensus sur un projet en particulier. MM. MacDonald et Modjeski recommandent le devis B de la compagnie St. Lawrence Bridge, devis sur lequel leur président M. Vautelet manifeste sa dissidence.

Pour solutionner cette question litigieuse et aussi afin de recevoir l'avis d'un plus grand nombre d'ingénieurs, le Ministère décide de faire appel à deux ingénieurs consultants. Un arrêté-en-conseil passé le 20 janvier 1911 mandate M.J. Butler chef ingénieur du département des Chemins de fer et Canaux et M. Henry W. Hodge, ingénieur consultant de New York pour faire l'étude des soumissions et à se prononcer sur la question demeurée en litige.

La décision des deux ingénieurs consultants vient confirmer la recommandation de MM. Modjeski et MacDonald au sujet du devis B de la St. Lawrence Bridge Co. Ce devis comporte 2 voies ferrées, 2 chemins carrossables et 2 trottoirs.

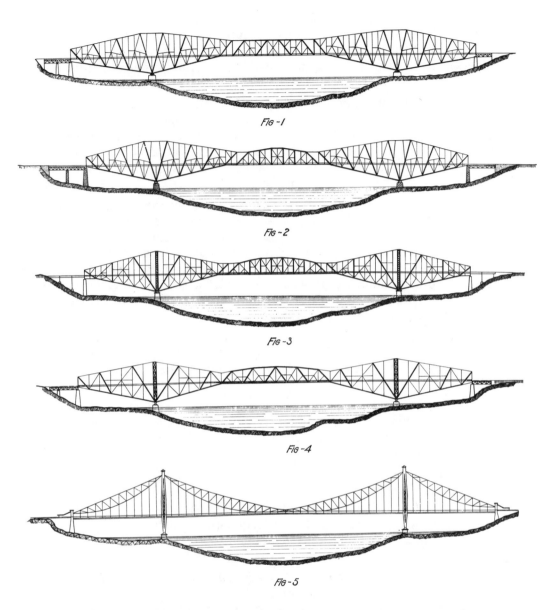

Fig -1

Fig -2

Fig -3

Fig -4

Fig -5

La Fig. 1 montre le devis officiel de la commission des ingénieurs qui a servi pour l'appel d'offres.

La Fig. 2 est une version modifiée du devis officiel.

La Fig. 3 représente un des projets soumis par la St. Lawrence Bridge Company.

La Fig. 4 nous montre un projet présenté par la firme Allemande Machinen-Fabrik, Augsburg, Nuremberg

La Fig. 5 est le projet d'un pont suspendu présenté par la Pennsylvania Steel Co.

(Photo: St. Lawrence Bridge Co.)

La St. Lawrence Bridge Co. a aussi soumis le devis X, qui est identique au devis B mais à l'exception qu'il ne comporte pas de voies carrossables. Dans son rapport au Ministère, la commission des ingénieurs mentionne la grande économie qu'on pourrait faire en omettant les voies carrossables.

Le gouvernement décide donc pour la raison invoquée plus haut d'accepter le devis X de la St. Lawrence Bridge Co. Les voies carrossables ne constituent pas non plus à cette époque un besoin essentiel étant donné le coût supplémentaire qu'elles ne justifient pas. En 1910, seulement 786 véhicules automobiles sont enregistrés dans toute la province de Québec et 1878 l'année suivante en 1911. [1]

Le 22 février 1911, M. Vautelet présente sa démission au ministre qui l'accepte. Le 4 avril, le gouvernement accorde officiellement le contrat à la St. Lawrence Bridge Co. Cette dernière compagnie qui a été formée quelque temps auparavant a pour seul et unique but de réaliser la construction du pont de Québec. Elle est formée du jumelage des ressources humaines et financières de deux autres compagnies: la Dominion Bridge Company de Lachine P.Q. et la Canadian Bridge Company de Walkerville, Ontario.

Tel que convenu au moment de son engagement, M. MacDonald se retire à son tour puisque le contrat est maintenant signé. M. Modjeski demeure donc le seul membre en poste de la commission originale.

Environ un mois plus tard, le Ministre désigne une nouvelle commission d'ingénieurs qui est composée comme suit: M. Ralph Modjeski, M.C.S. Schneider et M. C.N. Monsarrat. Ce dernier est nommé président et ingénieur en chef.

En guise de garantie, la compagnie St. Lawrence Bridge est invitée à verser un montant de 1 297 500 $. Ce montant vient s'ajouter à celui de 500 000 $ que chaque compagnie soumissionnaire devait joindre à la présentation de sa soumission tel que spécifié dans l'appel d'offres. Le total des deux montants versés doit représenter 15 % du coût estimé des travaux.

Il est prévu également que si la compagnie qui obtient le contrat, en l'occurrence la St. Lawrence Bridge Co., refuse de signer le contrat ou de verser le second montant d'argent exigé, le montant initial de 500 000 $ devient la propriété du gouvernement fédéral en guise de pénalité imposée. De son côté, le gouvernement s'engage à verser un intérêt annuel de 3 % à la compagnie sur le montant total retenu.

La St. Lawrence Bridge Co. se met aussitôt au travail de préparation des plans. La commission des ingénieurs se limitera à partir de ce moment à un rôle de supervision et de vérification des travaux en s'as-

---

[1]   Rapport du ministère de la voirie 1937-38.

surant que toutes les étapes franchies se font dans le respect du devis accepté.

Une équipe complète d'ingénieurs, de mathématiciens et de dessinateurs travaille sans relâche à résoudre les nombreux problèmes qui se présentent. Le plus célèbre d'entre eux est sans aucun doute Joachim Von Ribbentrop, le futur ministre des Affaires extérieures du III ème Reich, qui se joint à eux à titre de dessinateur et de contrôleur. «Il ne semble pas cependant que le futur collaborateur de Hitler soit demeuré plus que quelques mois à Québec, dans la maison de la rue Christie où il avait loué une chambre. Peu avant la déclaration de guerre, en août 1914, il disparaît. Au lieu de se rendre en Allemagne, il se dirige vers les États-Unis où il crée un réseau d'espionnage. Arrêté et emprisonné, il réussit à s'évader.

Quelques mois plus tard, on le retrouve en Argentine où il organise un autre réseau d'espionnage avec l'aide de Carl Canaris qui deviendra chef du Contre-espionnage allemand et amiral de la flotte sous le III ème Reich. Appréhendé et emprisonné une seconde fois, Joachim Von Ribbentrop parvient à s'échapper de nouveau et à regagner l'Allemagne où, dans l'entre-deux-guerres, il exerce l'honorable profession de représentant en champagne. Très tôt dans les années '30, il se joint au parti national-socialiste et fait son chemin dans l'entourage immédiat de Hitler qui le nomme, en 1939, ministre des affaires étrangères. Sept ans plus tard, en 1946, il figure parmi la vingtaine de hauts dirigeants nazis condamnés par le Tribunal de Nuremberg à mourir sur l'échafaud comme criminels de guerre». [2]

À l'été de 1912, la compagnie St. Lawrence Bridge débute la construction de ses propres installations sur la rive nord. Elles comprennent des bureaux, des cuisines, des salles à manger, des dortoirs, une infirmerie, un magasin, une buanderie, etc...

Comme il n'y a pas d'usine au Canada pour fabriquer les immenses pièces d'acier nécessaires à la construction du pont, la St. Lawrence Bridge Co. construit ses propres usines à Rockfield près de Montréal. Une fois fabriquées, les pièces sont transportées sur la rive sud par le Grand Tronc pour la partie sud du pont et par le Canadien Pacifique pour la partie nord. Les usines de Rockfield sont construites en acier et en ciment afin d'être à l'épreuve du feu, pour ne pas retarder ainsi l'échéancier de la construction du pont. Le coût total de ces usines et de leur équipement s'élève à 1 300 000 $. Les usines sont complétées en 1912 et la fabrication des pièces d'acier débute à ce moment.

L'acier qui servira à la construction du pont, à l'exception des goupilles, provient de la Carnegie Steel Co. de Pittsburg en Pennsylvanie. Toutes les goupilles sont fabriquées à la Bethlehem Steel Co. «La qualité des matériaux à employer est de la plus haute importance.

---

[2]   Extrait du journal «Le Soleil» en 1972.

ORGANIZATION OF ST. LAWRENCE BRIDGE CO., LIMITED

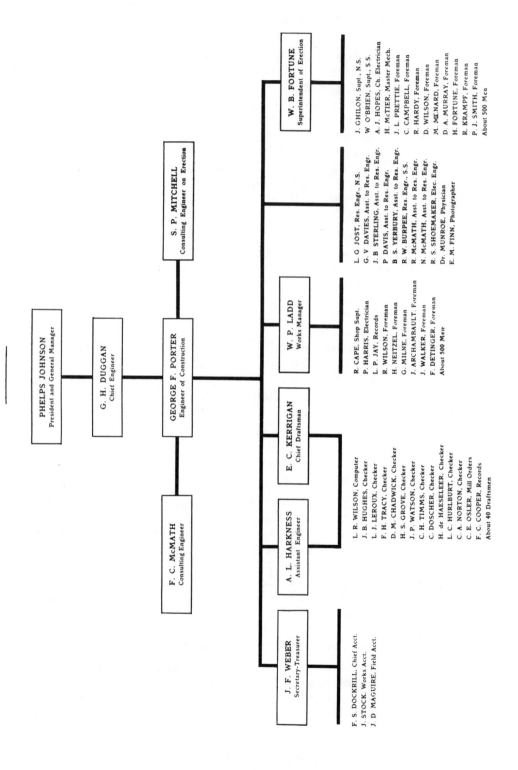

PHELPS JOHNSON
President and General Manager

G. H. DUGGAN
Chief Engineer

GEORGE F. PORTER
Engineer of Construction

S. P. MITCHELL
Consulting Engineer on Erection

W. B. FORTUNE
Superintendent of Erection

F. C. McMATH
Consulting Engineer

A. L. HARKNESS
Assistant Engineer

E. C. KERRIGAN
Chief Draftsman

W. P. LADD
Works Manager

J. F. WEBER
Secretary-Treasurer

F. S. DOCKRILL, Chief Acct.
J. STOCK, Works Acct.
J. D. MAGUIRE, Field Acct.

L. R. WILSON, Computer
J. B. HUGHES, Checker
L. J. LEROUX, Checker
F. H. TRACY, Checker
D. M. CHADWICK, Checker
H. S. GROVE, Checker
J. P. WATSON, Checker
C. H. TIMMS, Checker
C. DOSCHER, Checker
H. de HAESELEER, Checker
L. C. HURLBURT, Checker
C. A. NORTON, Checker
C. E. OSLER, Mill Orders
F. C. COOPER, Records
About 40 Draftsmen

R. CAPE, Shop Supt.
P. HARRIS, Electrician
L. P. JAY, Records
R. WILSON, Foreman
H. NEITZEL, Foreman
G. MILNE, Foreman
J. ARCHAMBAULT, Foreman
J. WALKER, Foreman
F. DETINGER, Foreman
About 500 Men

L. G JOST, Res. Engr., N.S.
G. V DAVIES, Asst. to Res. Engr.
J. B STERLING, Asst. to Res. Engr.
P DAVIS, Asst. to Res. Engr.
B S. YERBURY, Asst. to Res. Engr.
R. W. BURPEE, Res. Engr., S.S.
R. McMATH, Asst. to Res. Engr.
N. McMATH, Asst. to Res. Engr.
R. S. SHOEMAKER, Elec. Engr.
Dr. MUNROE, Physician
E. M. FINN, Photographer

J. GHILON, Supt., N.S.
W O'BRIEN, Supt., S.S.
A. J. HOPES, Ch. Electrician
H. McTIER, Master Mech.
J. L. PRETTIE, Foreman
C. CAMPBELL, Foreman
R. HARDY, Foreman
D. WILSON, Foreman
M. MENARD, Foreman
D. A. MURRAY, Foreman
H. FORTUNE, Foreman
R. KRAMPF, Foreman
P. J. SMITH, Foreman
About 500 Men

Depuis un certain nombre d'années, l'acier a remplacé le fer dans toutes les constructions métalliques, parce qu'il est plus tenace, plus résistant et qu'il offre, par suite, plus de garanties de solidité.

On sait que l'acier est une combinaison de fer avec une légère proportion de carbone, mais on emploie plusieurs autres métaux pour former des aciers jouissant de propriétés particulières: tels sont les aciers au nickel, au manganèse, au molybdène, au tungstène etc.

Dans la construction du pont de Québec, l'on choisira des espèces différentes d'acier, suivant que les poutres, d'après leurs positions dans la structure métallique devront subir des efforts de flexion ou de compression. La proportion d'acier au nickel que l'on utilisera sera de 27% puisque cet alliage a une résistance à la rupture d'environ 40% supérieure à l'acier au carbone qui constitue l'autre proportion d'acier utilisé.

Enfin, l'étude de la dilatation de la structure métallique n'est pas sans importance puisque tous les métaux s'allongent sous l'influence de la chaleur et que chacun d'eux a un cœfficient spécial de dilatation. La dilatation se produit avec une force considérable et les différentes parties d'une construction métallique doivent être disposées de telle façon qu'elles puissent se dilater librement; s'il n'en était ainsi, elles se courberaient sous l'effet de la chaleur, ce qui serait une menace sérieuse pour la construction elle-même.

Comme le pont de Québec doit être exposé à des variations notables de température, il faut calculer les allongements possibles de toutes les pièces du pont et de ses différentes sections, et prendre des dispositions spéciales pour permettre aux dilatations de s'effectuer sans danger de déformation». [3]

L'érection de la superstructure débute à l'été de 1913 du côté nord lorsque les approches du pont sont complétées. Durant tout l'automne et l'hiver qui suit, on procède à l'installation de la grue roulante d'une pesanteur de 920 tonnes. Elle est prête à entrer en opération le 18 mai 1914.

Le 1er août, les deux sabots sont complétés et l'on commence à mettre en place les bras d'ancrage ainsi que les poutres principales.

Lorsque les travaux clôturent pour la saison, le 2 décembre, le poids total de l'acier qui a été installé par la grue roulante est d'environ 21 000 tonnes. La meilleure journée de travail a permis d'installer 411 tonnes d'acier et les travaux ont même débuté du côté sud.

Au cours de la saison 1915, les travaux progressent des deux côtés du fleuve. Du côté nord, la reprise des travaux se fait le 15 avril et le 12 novembre le bras cantilever est complètement terminé.

[3] Abbé Henri Simard, Propos scientifique, 1920, p. 17-18.

Photos montrant la fabrication des pièces d'acier du pont à l'intérieur des usines à Rockfield.   (Photo: St. Lawrence Bridge Co.)

Durant les quatorze mois de travail acharné des saisons 1914 et 1915, un total de 35 000 tonnes d'acier sont installées, dont une journée record de 670 tonnes et plusieurs journées dépassant les 600 tonnes.

Forts de leur expérience des deux saisons précédentes du côté nord, les ouvriers réussissent l'érection du bras d'ancrage sud en un temps record, soit en prenant une avance de six semaines sur leur cédule de travail. Ce travail commencé le 9 juillet et terminé le 8 novembre 1915 leur permet de manipuler et d'installer environ 20 000 tonnes d'acier.

Le 8 janvier 1916, la commission des ingénieurs est éprouvée par le décès d'un de leur collègue M.C.C. Schneider. Cet événement constitue une lourde perte pour la commission puisque celui-ci représentait une sommité dans sa profession et possédait une vaste expérience ainsi qu'un jugement éclairé. Il est remplacé le 15 février par M. H.P. Borden de Montréal.

Au printemps, le 1er avril, les travaux reprennent du côté sud et, le 28 juillet 1916, le bras cantilever sud est complété dans son entier. 13 000 tonnes d'acier ont été érigées une fois de plus en un temps record. Les ouvriers sont en avance d'un mois sur l'échéancier prévu car le cantilever sud a été monté en réalisant une économie de temps de 25 % par rapport au cantilever nord.

Une fois les deux bras cantilevers terminés, il ne reste plus qu'à installer la travée centrale.

(Photo: St. Lawrence Bridge Co.)

Photos montrant la progression des travaux au cours des deux premières années.

Le bras d'ancrage nord à la fin de l'année 1914.

(Photo: St. Lawrence Bridge Co.)

État des travaux au 18 août 1915.

(Photo: St. Lawrence Bridge Co.)

Photo prise le 7 novembre 1915 et montrant le bras cantilever nord.

(Photo: St. Lawrence Bridge Co.)

État des travaux à la fin de l'année 1915.

En 1916, les deux bras cantilevers sont terminés.

Progression des travaux d'érection du pont de Québec

	Tonnes d'acier érigées	Durée en semaines des travaux d'érection	Moyenne de tonnes érigées par semaine	Plus grand nombre de tonnes érigées		
				dans une semaine	dans un jour	date
Année 1914:						
Bras d'ancrage nord	13 636	29	470	1 039	411	22 novembre 1914
Année 1915:						
Bras d'ancrage sud	19 165	30	638	1 823	670	6 octobre 1915
Bras d'ancrage nord	5 038	10	504	1 140	340	13 mai 1915
Bras cantilever nord	12 542	25	502	1 025	387	10 juin 1915
Total pour l'an- née	36 745	35	1 049	—	—	
Année 1916:						
Bras cantilever sud	12 642	26	486	1 101	499	26 mai 1916
Travée centrale	4 701	9	522	898	219	12 juillet 1916
Total pour l'an- née	17 343	26	667	—	—	

CHAPITRE VI

UNE DEUXIÈME GRANDE CATASTROPHE

La travée centrale, qui va ainsi permettre la réunion des deux bras cantilevers est construite dans l'anse de Sillery, à trois milles et demi en aval du site du pont de Québec. Le projet prévoit que la construction de la travée centrale doit se faire à un endroit où le niveau de l'eau est le plus bas possible de façon à ce que lors d'une marée haute on puisse la faire flotter et ensuite la conduire à destination. Sillery Cove, comme on l'appelle à l'époque, présente donc le site idéal, parce qu'en plus d'avoir un niveau d'eau peu élevé, il est situé à proximité de la voie ferrée qui communique avec la cour où est entreposé le matériel pour la construction du pont.

La construction de la travée centrale débute donc à cet endroit le 25 mai 1916. Celle-ci est érigée sur une fausse structure d'acier qui a servi auparavant à l'érection du bras cantilever nord. L'on installe quatre tours en acier, une à chaque coin de la travée pour supporter l'énorme pièce de mécano tout au cours de sa construction.

La hauteur des tours d'acier est calculée de façon à permettre à des bateaux plats, appelés chalands ou pontons flottants, de s'infiltrer sous la travée centrale à marée haute et de la déplacer à volonté le jour où il serait nécessaire de le faire. Ces pontons flottants sont construits en acier avec des solives à leur partie supérieure afin de répartir le poids immense qu'ils devront supporter. Il est prévu qu'ils doivent être au nombre de six à effectuer le travail au moment opportun, c'est-à-dire trois à chaque extrémité de la travée. Chacun de ces bateaux doit mesurer 165 pieds de long, 32 pieds de large et 11 1/2 pieds de hauteur. Pour supporter la travée centrale, ils doivent tirer 8 pieds et 2 pouces d'eau; ce qui doit leur laisser une hauteur de 3 pieds 4 pouces à l'extérieur de l'eau.

Des soupapes, au nombre de six sur chaque ponton flottant, manœuvrables à souhait, permettent de les faire flotter à volonté. Lorsqu'elles sont ouvertes, permettant ainsi à l'eau d'entrer, ces soupapes font en sorte que les pontons ne flottent pas; par contre, en les fermant à marée basse une fois que l'eau de l'intérieur s'est écoulée à l'aide de puissantes pompes, la travée centrale, appuyée sur ses pontons devient un corps flottant avec la marée montante. C'est l'opération qu'il s'agira de réaliser le jour où l'on voudra déplacer la travée centrale.

Le succès de l'entreprise ne peut être obtenu qu'au prix de précautions particulières. Pour pouvoir effectuer cette opération, il est nécessaire de déterminer un moment où la marée baissera suffisamment pour drainer complètement l'eau à l'intérieur de chaque ponton tout en permettant une hauteur d'eau suffisante à marée montante pour les faire flotter. Ceci doit se produire deux heures avant la marée haute, puisque l'on devra effectuer le trajet jusqu'au pont dans le sens du courant et attacher la travée centrale aux deux bras cantilevers avant que le courant ne change de sens: la marée commençant à baisser environ une heure avant le changement de sens du courant.

La construction de la travée centrale se termine le 20 juillet de la même année. Elle mesure 640 pieds de long, 88 pieds de large, 110 pieds de haut et son poids atteint 5 200 tonnes.

Afin de déterminer le jour exact où l'on supputera les meilleures conditions de marée et de température pour procéder au transport et à la pose de la travée, le bureau d'ingénieurs fait une étude et compile des données relatives aux conditions existantes du vent à chaque moment de l'année au site du pont. Des ententes sont prises avec la station météorologique de Toronto située bien à l'ouest du site de construction afin de recevoir rapidement les informations au sujet de la température dans les jours qui précéderont l'événement.

Les préparatifs en vue du transport de la travée sont terminés aux alentours du 1er septembre 1916; cependant à cette date, la marée n'est pas propice. De plus, les responsables de l'opération reconnaissent la nécessité d'accorder quelques jours de formation supplémentaire aux ingénieurs et ouvriers qui seront impliqués dans ces différentes opérations.

Finalement, la date du 11 septembre 1916 est arrêtée comme date propice pour la pose de la travée centrale. Ce jour-là, la marée de la pleine lune sera haute à 5:14 heures a.m. et la travée, solidement assise sur ses pontons flottants devra alors être rendue sous le pont, prête à être élevée et placée aussi rapidement que possible afin de pouvoir profiter de l'étale de la marée. L'étale est la période de temps, comprise entre le montant et le baissant de la marée, où il n'y a pas de courant, et cette période a une durée d'environ 45 minutes.

Durant les jours qui précèdent l'événement, une fiévreuse activité règne aux alentours et sur les chantiers du pont en vue de la grande opération de la mise en place de la grande travée centrale qui reliera définitivement les deux tronçons du pont. Cette entreprise est considérée à l'époque comme la plus hasardeuse qu'ait conçue le génie civil au Canada. En poursuivant ses préparatifs, la compagnie St. Lawrence Bridge a choisi ses meilleurs hommes, c'est-à-dire les plus expérimentés et les plus habiles pour être à l'oeuvre le 11 au matin. De leur côté, les ouvriers sélectionnés hésitent à accepter cette tâche. Ils estiment que l'entreprise est non seulement hasardeuse mais très périlleuse; et ceux qui acceptent d'y prendre part veulent être payés en conséquence. Ils exigent 10 $ l'heure, et de plus, si l'entreprise réussit, un bonus de 200 $ devra être remis à chacun d'eux.

La compagnie réagit à cette demande en acceptant seulement de doubler le salaire régulier de ses employés pour ce jour-là. Ces derniers considèrent l'offre insuffisante étant donné les risques considérables de cette gigantesque entreprise. Finalement, devant l'importance et l'urgence du travail à accomplir, la compagnie consent à accepter les demandes de ses ouvriers.

À cette époque, de nombreuses personnes sont sceptiques et entretiennent de gros doutes quant à la réussite de l'entreprise. Depuis qu'a été fixée la date où l'on doit procéder à l'élévation et à la mise en place de la travée centrale, la plus grande appréhension règne dans le public; on a encore présent à l'esprit l'effroyable catastrophe du mois d'août 1907, et à cela viennent s'ajouter les sombres prédictions de personnes plus ou moins compétentes dans le domaine du génie civil.

Pour justifier leur pessimisme, ces personnes se basent sur plusieurs choses: la mobilité des pontons flottants, la grande profondeur du fleuve à cet endroit, la hauteur extrême des bras cantilevers au-dessus du fleuve, et le poids formidable de la construction métallique à venir se souder aux deux parties déjà en place. Tout cela constitue des obstacles terribles à vaincre pour le commun des mortels.

Il va sans dire que les journaux de l'époque font une large place à cet événement spectaculaire. L'intérêt de la population est manifeste et les journaux diffusent de l'information jusque dans les moindres détails pour tout ce qui concerne cet événement tant attendu. Pour mieux nous replacer dans cette atmosphère, laissons parler quelques journalistes des «à côtés» de l'événement:

«Le pont de Québec sera la huitième merveille du monde», affirme sur trois colonnes Le Soleil du vendredi 8 septembre 1916.

Après une description précise des opérations qui auront cours, on explique les possibilités pour la population d'assister à l'événement:

«Allons au Pont»

«Le vapeur Plessis de la Traverse de Lévis Limitée laissera le quai du gouvernement à Lévis à 4 heures 45 a.m., lundi matin, pour se rendre au ponton de la Traverse à Québec et laissera ce dernier endroit pour le pont de Québec à 5 heures a.m.

Ce bateau sera de retour à Québec à 8 heures a.m. Le même bateau fera un autre voyage spécial au pont vers 8 heures 30 a.m.

Prix du passage 50 cents.»

(Le Soleil 8 septembre 1916)

Puis on fait allusion à certains visiteurs spéciaux:

«200 ingénieurs au Pont de Québec»

«Demain après-midi vers 2 heures 30, 200 ingénieurs venus de toutes les parties du Canada et des États-Unis iront visiter le pont de Québec par voie du Transcontinental. Ils s'assembleront au marché Champlain et de là, partiront pour Sillery et Cap-Rouge.»

(Le Soleil 8 septembre 1916)

«Le Conseil de ville au Pont»

«Le maire a reçu cet après-midi un message d'Ottawa, l'informant que lundi prochain, jour de la mise en place du tablier central du pont de Québec, le steamer du gouvernement «Lady Evelynn» sera à la disposition des membres du Conseil de ville et de leurs invités.»

(Le Soleil 8 septembre 1916)

«Zone fermée»

«Personne hormis les ouvriers ne pourra avoir accès sur le pont. Le département de la marine s'est chargé de faire barrière sur le fleuve à un quart de mille des deux côtés du pont.

Le meilleur endroit pour voir se trouve sur la côte sud entre le pont et la rivière Chaudière. Sur la rive nord se trouvent aussi plusieurs excellents endroits d'observation.

Le chemin qui va du Chemin St-Louis au bureau des ingénieurs sera fermé à la traverse du chemin de fer.

Ceux qui voudront se rendre sur l'élévation avoisinant le pont devront marcher sur la distance d'un tiers de mille»

(Le Soleil 8 septembre 1916)

Dans son édition du 6 septembre 1916, le journal «l'Événement» relate à son tour les détails des derniers préparatifs au Pont de Québec et annonce la venue de sept ministres d'Ottawa qui seront présents à la cérémonie.

«... Actuellement, à peu près tous les navires qui sont dans le port de Québec et qui seront libres ce jour-là sont déjà nolisés pour se rendre lundi matin, chargés de visiteurs sur les lieux du pont.

On a déjà réquisitionné un grand nombre de cochers et de chauffeurs de la ville et l'on sait que dans la nuit de dimanche à lundi, les tramways de Lévis établiront jusqu'à St-Romuald un service à tous les quarts d'heure.

À New-Liverpool, tout près du pont, on fait de grands préparatifs pour recevoir les visiteurs ce jour-là. Des gens entreprenants de la place sont actuel-

lement à faire fabriquer des milliers de sièges qu'ils placeront aux bons endroits, et les loueront pour la journée.

On nous apprend ce matin que la grande travée centrale est depuis quelques heures placée sur ses pontons et prête à prendre la route du pont.

Enfin, notre correspondant à Ottawa nous informe qu'une importante délégation parlementaire composée de 7 ministres du Cabinet, de sénateurs et de députés sera à Québec lundi prochain, dans le but d'assister à la cérémonie de la pose de la partie centrale du pont de Québec. Les délégués s'embarqueront à bord du «Rapid's King» à Montréal à dix heures du matin dimanche prochain.

Parmi ceux qui seront présents à l'excursion, seront les honorables Cochraine, Hazen, Casgrain, Patenaude, Reid, Doherty et Blondin.»

(L'Événement 6 septembre 1916)

«Comment se rendre au Pont»

«On pourra voir commodément la pose de la travée du pont, lundi matin, sur les vaisseaux North et Polaris qui partiront du ponton Chouinard, au bas de la rue Sous-le-Fort, à 4 heures 45, 7 heures, 9 heures, 11 heures, et subséquemment dans la journée. Prix des billets 50¢ aller-retour. Il y aura à bord un comptoir garde-manger avec café chaud, etc...»

(L'Événement 8 septembre 1916)

Le quotidien «La Presse» de Montréal a lui aussi fait grand état de ces événements:

«Une foule immense»

«De tous côtés et par tous les moyens de locomotion des foules énormes accourent pour assister à ce travail. Depuis samedi, les hôtels de Québec et de Lévis regorgent de gens.

Durant la journée d'hier, il est arrivé des milliers d'automobiles de tous les coins du pays; il en est arrivé plus de cinq cents des États-Unis, on a manqué de garages pour recevoir toutes ces autos, et la plupart ont dû passer la nuit dehors, comme un grand nombre de leurs occupants.

Les chemins de fer et les tramways électriques de Québec et de Lévis ont transporté toute la nuit des milliers de curieux. Tous les navires disponibles et les modestes embarcations ont été mises à contribution pour transporter les curieux. Les Québécois les moins fortunés ont fait le voyage à pied.

Dès les petites heures du matin, les deux rives du fleuve étaient noires de monde. Jamais on n'avait vu une pareille foule aux environs de Québec.»

(La Presse 11 septembre 1916)

À travers toute cette effervescence dans la population pour cet événement sans précédent, le poète québécois William Chapman publie la journée même un poème en vers sur le pont de Québec tel que l'imagination du poète pouvait le concevoir après qu'il soit terminé. Nous le reproduisons intégralement:

Le Pont de Québec

Le grand fleuve a tremblé tout à coup sous la masse
Que le bras du Progrès, ô miracle d'audace
A jetée au-dessus de son flot écumant;
Et le pont, formidable ouvrage du génie
Dans sa beauté farouche et sa sombre harmonie,
Entre le ciel et l'eau brille effroyablement.

Mais Québec le contemple avec orgueil et joie ...
Il ouvre aux travailleurs une nouvelle voie,
Une plus vaste arène, un plus large horizon.
Il eût émerveillé Rhode, Ephèse, Ninive ...
Et le pesant fardier et la locomotive
Auront pour ce géant le poids de l'oisillon.

Triomphe du penseur subjuguant la nature,
En travers de l'abîme il dresse sa structure
Plein d'une majesté qu'on ne peut définir,
Eh, fort comme le mont où la trombe se brise,
Sur les escarpements qui lui font son assise,
Il semble hardiment regarder l'Avenir.

Il semble défier les ondes déchaînées,
Le choc des ouragans et l'effort des années,
Stable comme le roc, calme comme l'airain,
À peine il sentirait la foudre sur son arche.
Il montre ce que peut un peuple altier qui marche
Guidé par le flambeau du progrès souverain.

Oui, l'éclair vainement le choisirait pour cible,
Il est inébranlable, il est indestructible,
Et son lourd tablier est un large chemin
Où, rivaux fraternels, ardents, la tête haute,
Les Saxons et les Francs passeront côte à côte,
Du même pied alerte et la main dans la main.

Et, du haut de ce pont altier, solide et vaste,
Que viendra saluer la foule enthousiaste,
L'œil contemple, enivre les trésors inouis
Qu'en vidant son écrin fécond sur un rivage
La nature prodigue, en sa splendeur sauvage,
Étale sans mesure aux regards éblouis.

On vient de tous les points voir ce chef-d'œuvre énorme;
Mais, que la cité veille ou que la cité dorme,
Rien ne fait tressaillir l'impassible géant,
Et, sous l'astre levant du siècle qui commence,
Le colosse poursuit en paix son rêve immense,
Les pieds enracinés dans le gouffre béant.

Et devant ce titan l'esprit soudain s'éveille.
Nous songeons, orgueilleux, qu'une telle merveille,
Qui fait trembler d'émoi les passants transportés,
Est un des lourds anneaux de la chaîne féconde
Que la main du travail enroule sur le monde
À travers les grands monts et les grands flots domptés.

Nous voyons, tout rêveurs, l'œil perdu dans l'espace,
Le chemin qu'a déjà parcouru notre race
Sur ces bords teints du sang d'héroïques rivaux,
Nous voyons, au-dessus de l'époque où nous sommes,
Dans un nimbe éclatant, briller les noms des hommes
Qui devaient nous léguer tant d'immortels travaux.

William Chapman[1]

Tel que prévu, le 11 septembre, par une température idéale la travée centrale commence à flotter à 3 heures 40 a.m., et à 4 heures 40 on commence à la remorquer dans le fleuve en direction du pont.

En quelques minutes, elle atteint le milieu du fleuve dans une position perpendiculaire à ce dernier.

Quatre petits remorqueurs de 500 H.P. et un gros de 1 000 H.P. retiennent la travée transportée par le courant limitant ainsi la vitesse du déplacement, tandis que deux autres petits remorqueurs attachés aux bateaux de support dirigent la travée dans la bonne direction.

D'autres remorqueurs se tiennent à l'affût de façon à intervenir au besoin, au cas où un changement de direction du vent se ferait sentir ou pour prêter main forte aux remorqueurs en service si ceux-ci ne réussissent pas à garder le contrôle de la situation, puisque la vitesse du courant à cet endroit est de 6 1/2 mph.

À cause de l'équilibre précaire de la travée, haute de 120 pieds au-dessus des échafauds par lesquels elle repose sur les pontons, il faut éviter toute secousse et toute ondulation de la mer capables de produire des oscillations dangereuses. Une mer calme et une atmosphère à peu près en repos sont donc de rigueur.

Les navires portant les curieux sont tenus à l'écart tout au long de l'opération et défense leur est signifiée de s'approcher plus qu'à une certaine distance de la travée. La patrouille est faite par des destroyers de sous-marins. Seules quelques petites embarcations portant des ingénieurs circulent autour de la travée du tablier.

Sur la travée même, il n'y a pendant le transport que le nombre d'ouvriers requis pour réaliser l'opération. Les autres ouvriers qui sont en service depuis 2:00 heures a.m. remontent le fleuve à bord d'un «flat-car» pour aller prendre leur poste sur le pont.

La navigation est suspendue dans ce secteur du fleuve St-Laurent depuis 3 heures du matin et plusieurs navires venant de Montréal qui n'ont pas le temps de passer avant le commencement de l'opération doivent mouiller à l'ouest du pont pendant le temps que dureront les travaux.

---

[1] «L'Événement», 12 septembre 1916.

La travée centrale, bien appuyée sur ses pontons flottants dans l'anse de Sillery.

(Photo: Archives nationales du Québec)

La travée centrale pendant son transport.

(Photo: St. Lawrence Bridge Co.)

Les deux bras cantilevers attendent la travée centrale qui viendra les réunir en ce 11 septembre 1916.

(Photo: Ivan Vallée, Archives nationales du Québec

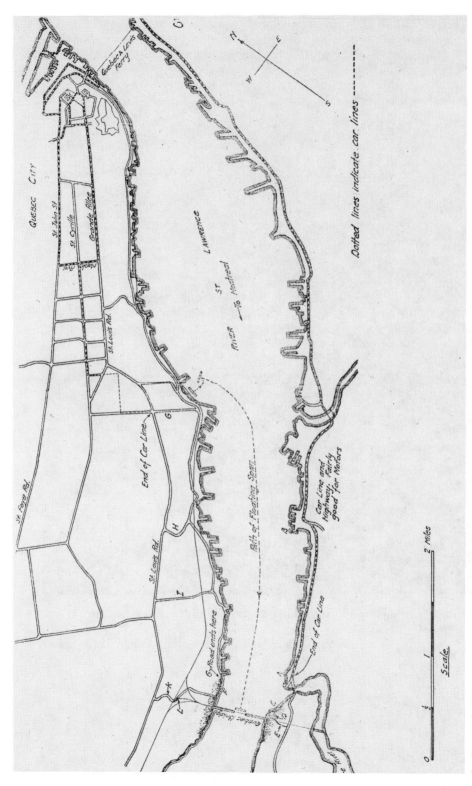

La ligne pointillée indique le trajet effectué par la travée centrale pour se rendre au site du pont sur une distance d'environ 3 1/2 milles.

À 6 heures 35 a.m. la travée est rendue à destination et l'on procède à l'opération la plus délicate et la plus aléatoire, c'est-à-dire placer la travée exactement en ligne avec les cantilevers, l'y maintenir malgré le courant et fixer solidement, aux quatre coins, les quatre lames d'acier qui doivent la soulever jusqu'au niveau du tablier du pont, et cela, avant que le niveau du fleuve ne se soit trop abaissé par suite du retrait de la marée. On s'empresse donc de fixer aux quatre coins de la travée de puissants câbles d'acier et la manœuvre d'approche est effectuée par des treuils fixés aux deux extrémités du pont et par des palans installés sur des constructions métalliques spéciales accrochées aux deux bras cantilevers. Le rôle de ces espèces de passerelles suspendues est donc purement temporaire et elles ne servent que de support aux palans et aux câbles qui doivent placer la travée dans la position voulue pour l'ascension. À 7:40 heures, sous le regard ébahi de la foule, la travée est assujettie à ces montants d'acier et repose toujours sur les pontons.

À 8:50 heures, les quatre crics hydrauliques commencent à actionner les huit leviers et la travée débute son ascension. «L'organe essentiel de ces crics hydrauliques est un cylindre d'acier très résistant, plein d'eau, et qui contient un piston de plus de deux pieds de diamètre pouvant sortir à l'extérieur de la longueur de deux pieds: c'est le grand corps de pompe de la presse et c'est le mouvement d'ascension de ce piston qui doit, sous la poussée de l'eau, soulever la travée centrale. Le petit corps de pompe est installé sur le tablier du pont et communique avec le premier au moyen d'un petit tube métallique de moins d'un pouce de diamètre.

Les quatre crics hydrauliques sont placés aux quatre angles de la travée à soulever et chacun de ces appareils est double, c'est-à-dire qu'il possède deux pistons pouvant déployer une force de 1 000 tonnes chacun. Lorsque les quatre presses fonctionnent ensemble, ils peuvent donc soulever un poids de 8 000 tonnes.

Quant à la force motrice utilisée pour le fonctionnement des crics hydrauliques, on prend comme point de départ l'énergie électrique des secteurs des rives nord et sud. Le courant, par la rotation de moteurs électriques actionnant des pompes de compression, fournit l'air comprimé qui, amené par des tuyaux de fer aux extrémités des arches du pont, met en mouvement les petits pistons des presses et par suite les grands pistons avec une force notablement multipliée.

Par mesure de précaution, on installe des machines à vapeur pour suppléer l'énergie électrique en cas d'accidents toujours possibles. Pour la même raison, on dispose près des pistons des presses, de puissantes vis mues à la main par des ouvriers et qui peuvent, à elles seules, soutenir la travée si une fissure dans les cylindres faisait subitement cesser la pression de l'eau.

Donc à 8:50 heures, des ouvriers font mouvoir, au moyen de l'air comprimé, le petit piston de la presse. Celui-ci par son mouvement de va-et-vient, aspire l'eau d'un réservoir et la refoule ensuite par le petit tube métallique dans le grand corps de pompe. À cause de la grande différence des diamètres, une force relativement faible peut soulever le grand piston avec une énergie extraordinaire. Le mouvement des pistons est communiqué aux lames d'ascension par l'intermédiaire d'énormes chevilles d'acier implantées dans des ouvertures de douze pouces de diamètre et disposées à une distance de six pieds les unes des autres. Quand les pistons sont rendus au bout de leur course, on suspend momentanément la travée au moyen d'une deuxième série de chevilles, on abaisse les pistons, on fixe de nouveau les premières chevilles après avoir enlevé les autres, une nouvelle poussée des pistons soulève la travée, et ainsi de suite, de deux pieds en deux pieds la travée monte». [2]

Au cours de la troisième montée de deux pieds, les pontons flottants sont libérés. On voit alors s'éloigner les remorqueurs qui ont traîné la travée et c'est à ce moment que la centaine de milliers de spectateurs constatent que la travée est bel et bien attachée.

C'est alors que tous les navires à vapeur qui se trouvent sur place se mettent à lancer dans les airs les cris perçants de leurs sirènes en même temps que des hourras frénétiques émanent des milliers de spectateurs présents. Vers 9 heures 30, l'opération a été répétée quatre fois et la travée est suspendue environ 20 pieds au-dessus de l'eau.

Puis, comme les ouvriers sont au travail depuis deux heures du matin, que le moment crucial de l'étale est passé et que l'on a réussi quelques levées de deux pieds, on accorde une heure de répit aux ouvriers pour leur permettre de déjeuner et de se reposer.

Tout le monde est fier du travail accompli puisque, jusque-là, tout a fonctionné à merveille et à l'intérieur des délais requis. Aucun imprévu ne s'est présenté, les conditions de température sont excellentes, aucun vent ne souffle et le travail qui reste à exécuter n'est qu'une répétition d'opérations mécaniques dont quelques-unes ont déjà été réussies.

Plusieurs personnes profitent de ce moment de répit pour quitter les lieux. Il en est de même pour le Rapid's King qui transporte journalistes et députés.

Vers 10 heures 30 les travaux reprennent. Les treuils hissent la travée d'un autre deux pieds et tout à coup, on voit la charpente de la travée centrale se ployer, se tordre, puis on entend un craquement épouvantable; le coin sud-ouest de la travée se déplace et ne se trouve plus suffisamment supporté: les appuis de l'angle sud-est cèdent à leur tour et cette masse de fer s'engouffre dans le fleuve sous 150 pieds d'eau. Selon le témoignage de M. Alexandre Barbeau, un des rescapés de l'accident, le tout s'est déroulé en 55 secondes et il était exactement 10 heures 47 minutes lorsque la catastrophe survint.

---

[2]   Abbé Henri Simard, Propos scientifiques, 1920, p. 32-33-35.

La travée centrale est attachée aux montants d'acier et les pontons flottants sont libérés au cours de la troisième montée de deux pieds. (Photo: St.Lawrence Bridge Co.)

Vue des pompes hydrauliques qui ont servi à soulever la travée centrale.

(Photo: St.Lawrence Bridge Co.)

La travée centrale photographiée quelques secondes seulement avant son écroulement.

(Photo: Journal «The Standard»)

Cette photographie a saisi les pièces oscillantes desquelles la travée fut arrachée, les hommes se débattant dans l'eau et les débris flottant à la dérive.

(Photo: Journal «The Standard»)

(Photo: St. Lawrence Bridge Co.)

Au moment où la catastrophe se produit.

Au moment précis où la travée centrale céda, M. L.-Ernest Ouimet, de la compagnie cinématographique Pathé de Montréal, était occupé à filmer l'opération de la pose de la travée à bord du remorqueur C.A.B. (capitaine Achille Bernier), affecté spécialement aux photographes. Comme il occupait une place de choix et était attentif à tout ce qui se déroulait sous ses yeux, ses commentaires furent recueillis avec beaucoup d'intérêt de la part des nombreux journalistes présents.

Voici sa déclaration: *«J'étais dans une embarcation près de la travée centrale avec M. Arthur Drapeau du théâtre Cristal de Québec et j'étais occupé à prendre des vues de l'ouvrage lorsque j'entendis un bruit semblable à un happement d'un énorme câble. Je regardai, et vis ployer la partie extrême sud du tablier qui se pencha ensuite vers la rive sud. Les ouvriers tombaient de leur ouvrage comme du charbon d'une voiture. J'aperçus aussi un groupe d'hommes qui étaient sur l'ancre de la travée et qui étaient frappés par les débris qui s'échappaient de la construction. Nous avons secouru quelques-uns de ceux-ci, pendant qu'une escouade de petits bateaux portaient secours à ces malheureux qui luttaient contre les flots.*

Tous tant que nous sommes, nous fûmes comme stupéfiés, muets, terrifiés de l'horreur et de l'inattendu du spectacle. Personne n'osa en croire ses yeux et chacun se tournait vers son voisin avec un regard mêlé de tristesse et d'inquiétude en se demandant: Est-ce vrai?

La réponse était muette, mais non moins éloquente. Que faire, nous étions sur le pont, spectateurs impuissants dans cette catastrophe qui se déroulait sous nos yeux, à quelques cents pieds de nous. Il y eut même quelques lamentations de désespoir parmi les passagers du «Druid». L'émotion était intense. Il y avait tout près du «Druid» d'autres bateaux d'où se détachèrent comme du nôtre des chaloupes de sauvetage. Le courant était en descendant et nous vîmes arriver près du navire des débris d'outillage, des pièces de bois, des radeaux d'occasion sur lesquels on voyait des habits déchirés, des bottines, des outils. On crut voir un instant un être humain se débattant pour avoir la vie sauve.

Un chaloupier s'avança sur le radeau, mais n'y découvrit personne. Cinq minutes plus tard, nous demandâmes au capitaine de poursuivre la route jusqu'à l'endroit précis du sinistre. Ce qui fut fait. Nous approchâmes sur l'onde calme où quelques minutes auparavant s'engloutinaient des vies humaines, des ingénieurs probablement et des ouvriers qui eurent à peine le temps de songer à l'abîme qui les attendait.

Nous quittâmes la scène, navrés, cherchant malgré tout à bien nous rendre compte du malheur dont nous fûmes les témoins, malgré nous, et cherchant aussi à mesurer toute l'étendue du malheur et alors, malgré la profondeur du désastre, nous eûmes au moins la consolation de nous rendre compte que ce qui était déjà construit du pont de Québec avait parfaitement résisté». [3]

Les journaux de l'époque rapportent qu'au moment du désastre, quatorze hommes travaillaient sur la travée centrale. Plusieurs

---

[3]   «La Presse» 12 septembre 1916.

118

témoins ont affirmé avoir vu ces ouvriers tomber à l'eau et la travée centrale par-dessus. De plus, lorsque cette énorme pièce d'acier disparut sous les flots du fleuve, il se produisit un remous qui fit courir de grands dangers aux navires et aux petits yachts qui se trouvaient près du pont à ce moment. Immédiatement, presque toutes ces embarcations mirent des chaloupes à la mer pour recueillir les hommes qui se noyaient. À toutes ces petites embarcations, s'ajoutèrent bientôt le «Druid», le «Lady Evelyn» et le «Bellechasse» pour porter secours à tous ces malheureux. Le «Druid» revenait justement de Québec où il était allé reconduire les journalistes qui désiraient télégraphier leurs rapports sans délai. Il était revenu depuis dix minutes lorsque l'accident se produisit. Les nombreux spectateurs pouvaient voir distinctement au moyen de lunettes d'approche, des hommes flotter à la dérive, en agitant les bras pour attirer l'attention des sauveteurs.

C'est ainsi que quelques-uns purent être rescapés dont un certain M. McCann qui, au moment de la chute de la travée, se trouvait au bout du pont. Il fut donc précipité dans le fleuve, et quand il revint à la surface de l'eau, il avait sous chaque bras une pièce de bois qui le supportait. Entraîné par le courant, il fut recueilli par un navire du gouvernement.

L'ingénieur en chef de la St. Lawrence Bridge Co., M.W.-B. Fortune, se trouvait lui aussi sur l'un des bras cantilevers au moment de l'accident. Comme tous ceux qui s'y trouvaient, il fut rudement secoué par le choc mais ne fut pas précipité à l'eau. Son confrère, M. Georges Porter, surintendant en chef de la construction du pont pour la compagnie, était sur la travée centrale lorsque cette dernière céda. Il a été précipité à l'eau avec les autres et fut rescapé par les employés d'un remorqueur. Tous ceux qui étaient sur la travée centrale et qui eurent la vie sauve furent ceux qui eurent la présence d'esprit de sauter à l'eau aux premiers signes de danger. Certains d'entre eux cependant éprouvèrent un solide choc nerveux et ne purent raconter ce qui s'était passé avant plusieurs minutes. L'un d'eux, M. Alexandre Barbeau, de New Liverpool, était en train d'allumer sa pipe lorsqu'il sentit que la travée s'écroulait. Il fut frappé par un morceau de fer et fut précipité à l'eau. Lorsqu'il réussit à se dégager de l'armature, il revint à la surface et fut recueilli par une embarcation. Plusieurs témoins confirmèrent par la suite que M. Barbeau tenait toujours sa pipe et son sac à tabac dans ses mains lorsqu'il fut recueilli. [4]

Le steamer «Rapid's King» venait de quitter le site du pont lorsque l'accident se produisit. C'est ce bateau qui transportait plusieurs journalistes et députés. En revenant à Québec, les excursionnistes, enthousiasmés par le succès qui avait jusque-là couronné les travaux du pont, chantaient des airs patriotiques. À leur arrivée à Québec, ils apprirent la triste nouvelle et eurent peine à le croire.

------

[4] Sa fille Aline qui est l'épouse de M. Georges Charest le confirme encore de nos jours.

Un ouvrier que l'on vient de rescaper: M. Arthur Cadorette de Sillery.

(Photo: Archives Nationales du Québec)

Sur les deux rives du fleuve, au moment de cette vision fantasti-que de la catastrophe, un immense cri de stupeur s'éleva de la poitrine des 100 000 spectateurs présents qui étaient venus de toutes les parties du Canada et des États-Unis pour être témoins de cet événement spec-taculaire. Des milliers de personnes pleuraient comme des enfants et beaucoup de femmes firent des crises d'hystérie. M. l'Abbé G.A. Lemieux, curé de St-Joachim, qui se trouvait chez un parent, M. For-tunat Hamelin de New Liverpool, était à observer le travail quand la catastrophe se produisit. Au même instant, il se leva et donna l'absolu-tion «*in articulo mortis*» à tous les malheureux ouvriers impliqués dans l'accident.

Parmi les témoins oculaires de cette catastrophe inoubliable, on pouvait distinguer sir Wilfrid Laurier, sir Lomer Gouin et un très grand nombre de députés et ministres des deux gouvernements. Le lieutenant-gouverneur sir Évariste Leblanc s'apprêtait à se rendre sur les lieux lorsque le désastre se produisit. À l'annonce de cette nouvelle, des milliers de curieux sont venus s'ajouter aux cent mille personnes présentes comme pour s'assurer une fois de plus qu'une deuxième grande catastrophe était bien arrivée.

Les conséquences les plus regrettables reliées à l'accident sont sans aucun doute les treize pertes de vie qu'il entraîna. Voici la liste de ces victimes:

NOMS	LIEU DE RÉSIDENCE
WILFRID DUMONT	NEW LIVERPOOL
HENRI VANDAL	NEW LIVERPOOL
C. BERNIER	LAUZON
JOHN CORBETT	TERRE-NEUVE
MICHAEL REGAN	CAP-ROUGE
MICHAEL WHITE	PORT GILBERT, N.E.
H. BERTRAND	BIGAOUETTE, ONT.
CLÉOPHAS CADORETTE	SILLERY
ÉDOUARD JOURDANNAIS	PROVIDENCE, R.I.
FRANK DEMERS	ST-NICOLAS
CHS. SWEENEY	LACHINE
PAUL LAROCHE	SILLERY
P.W. RICE	?

Les journaux racontent au lendemain de l'accident que Édouard Jourdannais, âgé de 22 ans, avait eu un pressentiment avant de quitter sa maison de pension pour se rendre à son travail dans la soirée du 10 septembre. Jourdannais avait dit: «Camarades, chantons ensemble une chanson. Ce sera peut-être la dernière».

Plusieurs journées s'écoulent avant que l'on repêche les premières victimes de la tragédie. Ce n'est que le dimanche 17 septembre que les deux premières victimes sont retirées des eaux du St-Laurent. Le surlendemain on est rendu à six cadavres tandis qu'un autre vient s'ajouter à la liste le mercredi. L'histoire se répétera les jours suivants.

Aussitôt le premier cadavre repêché, le coroner Jolicœur ordonne une enquête légale sur les causes de la mort des victimes et non sur les causes techniques de l'accident. Il rendra un verdict de mort accidentelle, et le même verdict servira pour les autres cas également.

En apprenant la nouvelle, le roi George V envoie le télégramme suivant: *«Je suis grandement peiné d'apprendre le désastre arrivé au pont de Québec et je fais des vœux pour que les pertes de vie ne soient pas considérables».*

Quatorze ouvriers s'en tirent avec des blessures plus ou moins graves. Voici la liste de ces ouvriers ainsi que la nature de leurs blessures:

Les officiels lors de la cérémonie du 11 septembre 1916. Au centre, on remarque sir Wilfrid Laurier, ex-premier ministre du Canada et chef de l'Opposition. À sa gauche, sir Lomer Gouin, premier ministre de la province de Québec.

(Photo: Archives Nationales du Québec)

NOMS	NATURE DES BLESSURES
JAMES JACKSON	BLESSURE AU COU ET À LA TÊTE
JACK WILSON	CHEVILLE FRACTURÉE
AUGUSTE MACINTYRE	BRAS GAUCHE FRACTURÉ
E. MCCANN	CHOC NERVEUX
ALEXANDRE BARBEAU	CONTUSIONS AUX CÔTES
E. NORMAND	CHEVILLE FOULÉE
D. LEFEBVRE	BLESSURE À LA JAMBE
A. LEFRANÇOIS	CHOC NERVEUX
A. FORD	CHOC NERVEUX
G. RAYMOND	CHOC NERVEUX
A. ANDERSON	CHOC NERVEUX
J. SMITH	CHOC NERVEUX
F. WILLIAMS	CHOC NERVEUX
H.W. MCMILLAN	JAMBE CASSÉE

D'autres travailleurs plus chanceux, qui se trouvaient également sur la travée centrale au moment de la chute, s'en tirèrent complètement indemnes. Il s'agit de Georges Côté de Lanoraie, Joseph St-Germain de Montréal, Arthur Cadoret, E. Giguère, Joseph Beauregard, un nommé Châteauvert de St-Alban et Honoré Doré de Cap-Rouge.

Tout au cours de la journée de ce 11 septembre 1916 et également dans les jours qui suivent, toutes sortes de rumeurs circulent quant à la cause de la chute de la travée.

La Compagnie St. Lawrence Bridge, dans les heures qui suivent la catastrophe, se met à la recherche de toute personne qui aurait eu connaissance de quelque incident antérieur à la chute de la travée et publie même des annonces dans les journaux demandant aux gens qui ont des photographies de la travée au moment de sa chute de les lui fournir, de façon à l'aider à établir par la photographie, les détails et surtout la façon dont la chute s'est produite.

L'opinion générale à ce moment veut que la chute de la travée centrale ne puisse s'expliquer autrement que par la rupture d'une des chevilles de fer qui servait à retenir la travée aux tiges suspendues aux extrémités des bras cantilevers.

Le 12 septembre, M. W.B. Updegraff, représentant de la Watson Sullman Co. de Alden N.Y. qui a installé les crics hydrauliques qui ont servi à soulever la travée centrale, affirme que la cause de la catastrophe ne peut d'aucune façon être reliée aux installations dont il avait la responsabilité. *«Les crics, dit-il, sont demeurés intacts après la catastrophe et n'ont pas eu à supporter le poids de la chute de la travée centrale, car au moment de la chute, ils avaient été éloignés et on se préparait à les installer de nouveau pour soulever la travée au cinquième cran».*

M. G.H. Duggan, ingénieur en chef de la St. Lawrence Bridge Co., autorise le 13 septembre la publication d'un communiqué après avoir entendu et discuté sérieusement les récits des témoins oculaires. Ce communiqué s'énonce ainsi: *«Un examen attentif par le bureau des ingénieurs indique que la travée centrale du pont de Québec a été perdue parce que les câbles leviers des solives sur lesquelles la travée centrale était placée depuis six semaines ont manqué».*

Cette cause sera par la suite démentie lors de l'enquête plus approfondie instituée par la commission des ingénieurs en collaboration avec les responsables de la St. Lawrence Bridge Co.

Tous les ingénieurs qui sont entendus à cette enquête sont d'accord pour dire que la cause de la tragédie est due à une pièce temporaire de la travée centrale qui a cédé du côté sud-ouest. Le premier témoin entendu est M. Charles Monsarrat, président et ingénieur en chef de la Commission du Gouvernement Fédéral, qui surveillait les travaux au moment de la tragédie. Ce dernier relate que le travail, jusqu'au matin de l'accident, a été accompli selon les plans. Après l'accident, il a examiné le pont et constaté que l'acier du côté sud-ouest avait disparu et des indications ont démontré qu'il avait été cassé.

L'ingénieur Monsarrat déclare que l'acier qui a manqué a été sous la travée pendant cinq ou six semaines avant l'accident et qu'elle avait supporté une pression beaucoup plus grande que lors de l'élévation.

Il ajoute en terminant son témoignage que les leviers ne peuvent être la cause de la catastrophe parce que la pesanteur ne portait pas sur eux au moment où l'accident s'est produit.

Un des membres du jury lui demande si tous les membres de la commission se sont entendus pour admettre que l'on avait utilisé le moyen le plus sûr de hisser la travée et il répond dans l'affirmative.

On lui demande aussi si la travée s'est tordue au moment de l'accident et M. Monsarrat répond qu'elle s'est tordue dans sa chute parce que toute la pression a été portée sur le même côté. Quant à la condition de l'acier, il déclare qu'il a été longuement inspecté au préalable.

Les témoignages de tous les témoins oculaires interrogés ont été si contradictoires qu'ils ont apporté peu d'éclairage sur la séquence d'événements qui ont suivi immédiatement le premier craquement.

Un examen minutieux des pièces de support qui ont servi à retenir la travée durant l'élévation a démontré sans l'ombre d'un doute que le bris initial est survenu à une pièce de support en forme de croix située au coin sud-ouest de l'appareil de levage, causant le glissement de cette partie de la travée et provoquant ainsi le déséquilibre de toute la structure.

L'unanimité est faite rapidement autour de cette cause même si trois autres hypothèses ont été examinées soigneusement par la commission des ingénieurs avant de soumettre leur rapport au ministère.

Le 13 septembre, la St. Lawrence Bridge Co. avise le gouvernement fédéral qu'elle assume l'entière responsabilité de l'échec et qu'elle prend immédiatement des mesures pour remplacer la travée dans les plus brefs délais.

Elle assume entièrement la perte financière occasionnée par cet accident qui est évalué à 250 000 $. De plus, étant donné que le contrat qui lie la compagnie avec le gouvernement stipule que la compagnie se verrait octroyer un bonus de 1 000 000 $ le jour où elle aura réussi à mettre en place la travée centrale, l'accident du 11 septembre vient donc ainsi retarder l'échéance du paiement et aussi forcer la compagnie à supporter les coûts de construction d'une deuxième travée centrale.

À la bourse de Montréal, la nouvelle de la chute de la travée centrale se fait sentir fortement et les parts de la Dominion Bridge dont la St. Lawrence Bridge est une filiale font une chute d'un peu plus de 25 points, tombant abruptement de 230 3/4 à 205, pour se relever nerveusement à 211 et 212 et retourner à son bas niveau de 205, par suite de nombreux appels de marges. De 11 heures 30 à la clôture, la cote est fiévreuse et faible et ce n'est au cours des dernières minutes que s'effectue une reprise de 208 à 211.

Au cours des heures qui ont suivi la catastrophe, une rumeur voulant que la circulation maritime soit interrompue pour une très longue période entre Québec et Montréal commence à se répandre parmi la population. L'énormité de la pièce métallique qui vient de choir au fond du fleuve amène bien des gens à se demander si elle n'entraverait pas le passage des navires. Les autorités du port de Québec décident la journée même de la catastrophe de suspendre tout trafic maritime jusqu'à ce que des sondages sérieux établissent s'il y a ou non danger que les navires accrochent la travée au moment de leur passage à cet endroit.

Le ministère de la marine annonce le lendemain de l'accident que l'arche du pont de Québec tombée dans le chenal ne constitue pas un obstacle à la navigation puisqu'il reste au moins cinquante pieds d'eau au-dessus de la travée à marée basse à cet endroit et qu'il n'en faut pas plus de trente pieds pour les plus gros steamers naviguant sur le St-Laurent.

Il faut se rappeler qu'à cet endroit, le fleuve a une profondeur d'environ 150 pieds et que la travée centrale n'a que 110 pieds de haut et que, brisée et tordue comme elle est, elle laisse davantage d'espace libre pour permettre le passage des bateaux. D'ailleurs, malgré l'interruption demandée par les autorités du port de Québec en attendant le résultat des sondages, deux steamers assez considérables, le «Jacon» et le «Lingan», se sont risqués à passer quand même au cours de la journée de la catastrophe sans être aucunement avariés.

La Canada Steamship Lines Ltd. annonçait au même moment que son service entre Québec et Montréal ne serait aucunement interrompu et qu'il se ferait sans plus de danger qu'auparavant.

À partir de ce moment, les craintes de circuler sous le pont se sont estompées tant et si bien que la travée ne fut jamais retirée des eaux et qu'à ma connaissance, aucune tentative pour ce faire n'a été réalisée par qui que ce soit.

Au moment de l'enquête pour déterminer la cause de l'accident, il a été mentionné qu'au moment de l'impact, les deux bras cantilevers du pont avaient oscillé et vibré comme un coup de fouet. Le choc avait été si violent qu'il avait fait tourner une passerelle de béton suspendue du cantilever nord et des sept personnes qui s'y trouvaient, trois furent projetées hors du garde de sécurité et furent tuées.

Tenant compte de cette constatation, une vérification en profondeur est faite sur les deux cantilevers afin de déterminer s'ils ont subi des dommages à la suite de la tension très forte à laquelle ils ont été soumis.

Tout l'assemblage est examiné avec beaucoup de précaution; tous les niveaux sont vérifiés sur toutes les pièces. Aucune altération n'est constatée.

À la suite de cette deuxième épreuve, la population ne cherche pas à dissimuler sa déception et plusieurs personnes estiment que cette entreprise n'est que pure utopie. Certaines gens croient même que le gouvernement va abandonner le projet de construire cet important trait d'union entre l'ouest et l'est canadien, par le Transcontinental.

Afin de faire taire ces rumeurs et de rassurer les plus pessimistes, des officiers de la St. Lawrence Bridge Co. déclarent dès le lendemain de la catastrophe que les travaux vont reprendre avant longtemps pour la reconstruction de la travée centrale et que le parachèvement du pont de Québec ne sera retardé que d'un an environ. La St. Lawrence Bridge Company n'accepte pas que tant de labeur se solde par un échec.

Dès que les résultats des vérifications techniques aux deux cantilevers sont connus et que l'on a l'assurance que ces deux structures sont demeurées intactes après l'accident, il est décidé officiellement de remplacer la travée centrale perdue par une travée analogue et le matériel nécessaire est immédiatement commandé afin de reproduire une réplique exacte de la première travée.

CHAPITRE VII

LA RECONSTRUCTION DE LA TRAVÉE CENTRALE

Étant donné que la St. Lawrence Bridge Co. ne s'attendait pas à devoir reconstruire une deuxième travée centrale, elle a déjà commencé au moment de la catastrophe à transformer ses usines et ces dernières sont maintenant équipées d'une machinerie spécialisée pour la fabrication de munitions. Plusieurs grosses machines qui ont servi à la fabrication des pièces d'acier du pont ont même été vendues. Toutefois, il en reste suffisamment pour fabriquer les pièces nécessaires à la reconstruction d'une seconde travée.

L'acier est de nouveau commandé à la Carnegie Steel Company de Pittsburg. Comme on est en temps de guerre et que l'acier disponible est rare, cette dernière compagnie doit faire de gros efforts pour fournir dans un délai raisonnable la quantité d'acier suffisante. Une grande partie du matériel sera quand même livré avant la fin de l'année 1916.

De plus, la fausse structure qui a servi à soutenir la première travée au cours de sa construction a été assez lourdement endommagée par les glaces au cours de l'hiver et les réparations qu'elle nécessite retardent le début des travaux de construction de la travée jusqu'au printemps.

Les plans de la travée sont revisés et il est convenu de n'apporter que des changements mineurs à la seconde travée centrale. Afin de lui assurer une plus grande flexibilité durant son élévation, on décide d'utiliser de l'acier au nickel pour construire les entretoises de la partie supérieure plutôt que de l'acier au carbone comme dans la travée précédente. Aussi, le support cruciforme qui a été la cause de la chute de la première travée est modifié d'une façon radicale.

Aucun changement fondamental n'est apporté à l'appareil qui a servi à élever la travée. Ce dernier a fait ses preuves malgré l'accident survenu et a démontré suffisamment son efficacité. Les ingénieurs conservent une grande confiance envers ce système. Toutefois, par mesure de prudence, tout le système est démonté et retourné aux usines. On remplace certaines pièces qui ont été altérées à la suite de l'impact, on double la quantité de vérins et revise les détails mécaniques de leur utilisation. La disposition des pompes hydrauliques est également modifiée de façon à leur assurer une meilleure efficacité.

Les travaux d'érection de la seconde travée centrale débutent à Sillery le 4 juin 1917 et sont complétés le 27 août de la même année.

Tout comme l'année précédente, il faut attendre une marée favorable pour déplacer la travée et procéder ensuite à son installation. Les préparatifs de la grande opération se font en fonction du samedi 15 septembre, date où l'on rencontrera les conditions de marées propices au déplacement de la travée.

M. Fortune, l'ingénieur résident de la St. Lawrence Bridge, avise officiellement le maire de St-Romuald de l'époque, M. William James Kiely, de la date retenue et le Conseil de ville de St-Romuald s'empresse de prendre les mesures nécessaires afin que tout se passe dans l'ordre et surtout que la circulation ne soit pas bloquée par les milliers d'automobiles et de voitures qui se rendront aux abords du pont ce matin-là.

Des gardiens spéciaux sont placés au pont Garneau situé à l'embouchure de la rivière Chaudière tout près du pont de Québec. Comme le pont Garneau n'offre pas toutes les garanties de solidité, il est défendu à quiconque de stationner sur le pont quoiqu'il demeure ouvert à la circulation. Dans les jours qui précèdent l'événement on publie un interdit empêchant les bateaux de plaisance et les chaloupes d'approcher du pont ou de la travée centrale au moment des opérations. On installe d'ailleurs des bouées afin de marquer les limites à ne pas franchir. Ces mesures sont prises dans le but d'assurer une plus grande sécurité aux travailleurs.

Les contremaîtres à l'emploi de la St. Lawrence Bridge Co. rencontrent beaucoup de difficultés à recruter le nombre d'experts requis pour la reprise des travaux d'installation de la travée centrale malgré les offres alléchantes qu'on leur propose.

À chaque ouvrier recruté on offre la somme de 150 $ pour vingt-quatre heures de travail et il est automatiquement assuré pour un montant de 2 000 $.

Au cours de cette période qui précède les travaux d'installation de la travée, le préposé au bureau central du téléphone à St-Romuald reçoit quotidiennement des centaines et des centaines de demandes d'informations venant des États-Unis et de toutes les parties du Canada au sujet de la date qui a été retenue pour la pose de la travée.

De leur côté, les compagnies de tramway «Quebec Railway» et «Levis County Railway» annoncent des services spéciaux de transport à toutes les quinze minutes pour toute la nuit du vendredi 14 au samedi 15 septembre. Les personnes qui habitent à proximité du pont élèvent des estrades sur leur terrain afin de louer des places à ceux qui voudront mieux voir le grand événement.

Comme l'année précédente, une nouvelle entente est prise avec la station météorologique de Toronto afin de recevoir à l'avance les informations au sujet des conditions de température pour le samedi 15 septembre. La veille de l'événement, la station prédit un fort vent d'ouest pour le lendemain. Même si tout est prêt jusque dans les moindres détails, les ingénieurs s'interrogent sérieusement sur la pertinence de procéder à la date prévue puisque les conditions de température s'annoncent mauvaises et que de plus on peut profiter des fortes marées pour plusieurs jours à venir, soit jusqu'au vendredi 21 septembre.

Vendredi soir le 14 septembre, il y a beaucoup d'animation au Château Frontenac où se tiennent les ingénieurs du pont de Québec MM. Monsarrat, Borden, Johnson, Duggan et autres. Ces derniers sont fortement préoccupés par les conditions météorologiques et pronostiquent sur le temps qu'il fera le lendemain.

Depuis le matin souffle un vent nord-est assez violent qui semble persister. Au cours de la soirée, la pluie se met à tomber sans que le vent cesse. Vers 23 heures, les responsables de la St. Lawrence Bridge Co. décident qu'en raison du grand vent qui rend le fleuve bouillonnant, la travée centrale ne quittera pas ses pontons des chantiers de Sillery le lendemain matin tel qu'il est prévu et qu'on la mettra en place dimanche matin si le vent tombe.

Cette décision cause un désappointement général dans la population et parmi les milliers d'étrangers venus de tous les coins du pays et des États-Unis pour assister à la pose de la travée qui doit terminer le plus grand pont cantilever au monde.

Très tôt dans la soirée de vendredi, les rues de Québec sont bondées de passants. On peut compter par milliers les automobiles qui amènent des curieux à Québec pour assister à cette entreprise périlleuse et émouvante. Des ingénieurs provenant de tous les points du continent et même du Japon sont en ville pour l'événement. Tous les hôtels regorgent de monde, les pensions, les restaurants et les garages y trouvent aussi un profit intéressant car les retombées économiques d'un tel événement estimées à 250 000 $ représentent une véritable manne pour tous ces commerçants.

Aux abords même du pont, la scène est très animée durant toute la nuit de vendredi à samedi. Tant sur la rive sud que sur la rive nord, il y a un trafic incroyablement intense. Les grands chemins sont envahis d'une longue file d'automobiles, de voitures et de véhicules de toutes sortes. Sur le chemin St-Louis, près de la route qui conduit au pont, des gens qui n'ont pu trouver logis en ville par suite de la trop grande affluence de visiteurs couchent à la belle étoile dans leurs autos et on peut les voir le lendemain matin aux petites heures achalander les magasins réguliers et les dépanneurs qui ont surgi autour du pont, afin de se procurer quelque chose à se mettre sous la dent.

Au cours de l'après-midi de samedi le 15 septembre, les membres de la Commission du pont de Québec se rassemblent afin d'étudier les pronostics de la température. Son Éminence le cardinal Bégin accorde une dispense permettant aux ouvriers de travailler le jour du Seigneur si les conditions de température sont propices à l'entreprise afin de ne pas risquer de retarder la terminaison du pont que le sort a déjà suffisamment entravée.

En raison des grandes marées, les pronostics de la météo ne s'annoncent guère encourageants puisque l'on prévoit la même température pendant deux ou trois jours encore. À la sortie de leur réunion, les ingénieurs ne savent pas à quel moment ils vont procéder et gardent un intérêt soutenu pour les rapports météorologiques qu'ils reçoivent constamment de Toronto.

Après plusieurs heures d'attente, ils décident de ne procéder aux travaux que lundi le 17 septembre alors que les conditions de température s'annoncent des plus encourageantes.

Par un temps superbe, semblable à celui que l'on a connu l'année précédente, la travée centrale commence à flotter assise sur ses pontons à 5:15 hres lundi matin le 17 septembre. À 5:45 hres, elle se met en marche et quitte l'Anse de Sillery traînée par sept remorqueurs qui sifflent le signal du départ. Les remorqueurs désignés pour procéder à l'opération sont les suivants: le «John Pratt», le «Mathilda», le «Spray», le «Virginia» et le «Dupré» de la compagnie Sincennes McNaughton; le «Bell» de la compagnie «Thom»; et le «M.E. Hackett» de la compagnie «Hackett» de Québec.

En raison de l'interdiction aux bateaux de plaisance de s'approcher de la travée centrale, tout comme en 1916, il règne un calme absolu sur le fleuve. Les seuls bateaux que l'on peut distinguer dans le secteur sont ceux qui montent la garde en bas de Sillery et en haut du pont.

La foule de curieux est aussi considérable que celle de l'année précédente alors que plus de 100 000 personnes avaient envahi les deux rives du fleuve. Cette fois-ci, on peut lire l'anxiété sur les visages; les gens redoutent un autre échec. Même le journal «Le Soleil» promet un cahier spécial à ses lecteurs en cas d'accident.

On n'a pas oublié la catastrophe de l'année précédente, et bien que l'on ait confiance en la compétence des ingénieurs, on ne peut dissimuler un sentiment d'angoisse qui ne passe pas inaperçu. Si la majorité de ces gens sont venus voir monter la travée, il y en a aussi plusieurs qui sont venus pour… la voir tomber! Ce sentiment curieux de la foule se traduira quelques minutes plus tard par cette réflexion d'une brave mère de famille, un peu lasse peut-être de la lenteur des opérations:

«Allons-nous-en! Vous voyez bien qu'elle ne tombera pas!»

À 7:15 hres, la travée centrale arrive à proximité du pont et est aussitôt mise en position pour être fixée aux chaînes d'élévation. L'opération d'accrocher la travée aux bras qui la hisseront en place est réalisée avec un peu plus de difficulté que l'année précédente en raison d'un courant extraordinairement rapide du fleuve. À 8:05 hres, l'extrémité nord de la travée est reliée aux chaînes d'élévation et à 8:15 hres, c'est au tour de l'extrémité sud. Pendant un quart d'heure, des deux rives du fleuve on entend de lourds coups de marteau mécanique, car les ouvriers complètent l'ajustement de la travée aux chaînes d'élévation. À 9:10 hres précises, on procède à la première levée de deux pieds de la travée.

À 9:30 hres, les ingénieurs montent au sommet du pont par un ascenseur. Une demi-heure plus tard, les pontons flottants sont encore sous la travée, la marée n'étant pas suffisamment basse pour leur permettre de se dégager. C'est à 10:28 hres précisément qu'ils commencent à s'éloigner en laissant la travée centrale suspendue aux premiers crans des chaînes d'élévation. La travée est alors montée de six pieds et les deux bras cantilevers supportent maintenant toute sa pesanteur. Ils ont baissé tous deux de 7 5/8 pouces, c'est-à-dire 5/8 pouce de plus que les ingénieurs s'attendaient.

C'est à ce moment que les ingénieurs en charge de l'entreprise donnent congé aux cent cinquante hommes en devoir afin de leur permettre d'aller manger et de prendre un peu de repos.

La travée centrale suspendue aux premiers crans des chaînes d'élévation.

(Photo: Archives nationales du Québec)

Le travail reprend à 11:30 hres. La travée centrale est hissée jusqu'au quatrième degré des chaînes d'élévation. C'est à ce point exact du travail que la travée s'était écroulée l'année précédente; elle était alors élevée de huit pieds comme elle l'est présentement. Il est 11:55 hres lorsque cette quatrième ascension est heureusement complétée et les ouvriers se préparent pour la cinquième.

Toutes ces premières levées de deux pieds sont complétées dans un temps d'environ quinze minutes chacune pour un cycle complet de l'opération. Au fur et à mesure que les montées s'effectuent, les ouvriers gagnent en habileté et en confiance et réduisent ainsi le temps pour chaque opération. Une montée de deux pieds est même réalisée en un temps record de neuf minutes. Par mesure de prudence et afin que les répétitions de chaque montée ne dégénèrent pas en une course entre les ouvriers situés à chaque extrémité de la travée, les ingénieurs décident d'établir un minimum de quinze minutes pour réaliser chaque montée de deux pieds ou si l'on veut, un maximum de huit pieds d'élévation à l'heure.

De plus, au cours d'une ascension, il faut éviter tout choc, toute secousse qui peut être désastreuse et aussi, il est essentiel de soulever les quatre coins de la travée avec une égale vitesse. S'il n'en est pas ainsi, un excès de traction en un point peut produire une torsion dangereuse dans la structure métallique de la travée.

Afin d'obtenir un synchronisme parfait dans le mouvement ascensionnel des pistons, les ingénieurs préposés à chacune des machines communiquent constamment par téléphone.

Comme les ingénieurs responsables n'ont pas jugé bon d'entraîner deux équipes d'ouvriers qui auraient pu se partager la tâche pour opérer les pompes hydrauliques et tout l'appareil de levage, le temps de travail des ouvriers pour une journée a été établi de 7:00 heures du matin à 5:00 heures de l'après-midi, avec un arrêt d'une heure pour le dîner; les opérations de levage de la travée doivent donc s'échelonner sur plusieurs jours.

Au cours de cette première journée de travaux, les ouvriers réussissent un total de douze levées, ce qui signifie une élévation de la travée de vingt-quatre pieds sur les cent cinquante nécessaires à la réussite de l'entreprise.

Le lendemain, mardi le 18 septembre, les ouvriers débutent le travail à 7:00 hres comme prévu et la première ascension commence à 7:42 hres pour se terminer à 8:01 hres. Toutes les personnes impliquées dans ces travaux sont tout à fait confiantes dans la réussite de l'entreprise et les ingénieurs déclarent aux journalistes à midi ce jour-là qu'ils ne doutent aucunement que tout ira bien jusqu'à la fin des travaux et que la travée sera bel et bien mise en place entre les deux bras cantilevers au cours de l'après-midi de jeudi.

Au cours de ce deuxième avant-midi, on réussit à faire quatorze ascensions; ce qui élève la travée à une hauteur de 52 pieds. À ce moment, 76 pieds la séparent du niveau de l'eau qui a baissé passablement depuis le matin.

Un événement qui n'a pas manqué de frapper les milliers de curieux qui surveillent sans cesse les travaux du pont, a été l'installation par les ouvriers de deux immenses croix en bois sur les deux cantilevers et l'affichage d'images saintes et de médailles qui ont été accolées de place en place sur la travée centrale par ces mêmes ouvriers. Ces manifestations de foi de la part des ouvriers ont fait suite aux cérémonies religieuses qui ont marqué l'ouverture des travaux comme la messe dans la chapelle de Sillery pour tous les ouvriers catholiques et la bénédiction des cantilevers et de la travée.

Au cours de cette matinée du 18 septembre, un navire de la Canada Steamship Lines qui effectue la navette entre Québec et Montréal passe sous le pont de Québec à quelques verges de la lourde travée centrale suspendue au bout de ses chaînes. Il en est de même pour plusieurs navires marchands se dirigeant dans la même direction.

Tout au long de cette deuxième journée de travaux, il ne se produit aucun accident, tout se déroule selon le plan prévu et tous les ouvriers travaillent avec entrain et avec la confiance du succès. Un total de vingt-deux levées de deux pieds sont accomplies au cours de cette journée.

Mercredi matin, le travail reprend sous les auspices des mêmes conditions favorables qui ont permis l'ascension de la travée centrale au cours des deux jours précédents. À la reprise des travaux, la travée est élevée de 68 pieds dans les chaînes d'élévation et se trouve à 85 pieds du niveau de l'eau. Le travail des deux premières heures de la journée consiste dans la préparation des chaînes et des tiges, de façon à ne permettre aucun délai au cours de la journée. Le travail de la 35 ième ascension débute donc à 9:02 hres pour se terminer à 9:16 hres. Au milieu du travail de montée au 38 ième degré qui a commencé à 9:55 hres pour se terminer à 10:06 hres, les ouvriers constatent qu'ils sont à mi-chemin, c'est-à-dire à 75 pieds.

Ces derniers réalisent également que les montées sont de plus en plus faciles à accomplir au fur et à mesure que la travée approche de son but parce qu'elle est moins difficile à garder en équilibre.

À midi, le travail est suspendu après la 44 ième ascension; il n'en reste plus que 31 à réaliser pour atteindre le sommet; c'est-à-dire que plus des deux tiers du travail est accompli.

À 2:00 hres de l'après-midi, la travée centrale du pont de Québec est levée de 92 pieds et atteint presque le niveau des deux bras cantilevers.

L'abbé Maguire, curé de Sillery au moment où il procède à la bénédiction des bras cantilevers du pont de Québec.

(Photo: Journal «The Standard»

Le 18 septembre, le dessus de la travée centrale apparaît à l'égalité du tablier des bras cantilevers.

(Photo: St. Lawrence Bridge Co.)

Photo montrant la travée centrale à la fin de la journée du mardi 18 septembre 1917.

(Photo: St. Lawrence Bridge Co.)

La travée centrale le 19 septembre 1917.

(Photo: St. Lawrence Bridge Co.)

En fin de journée, un grand total de 26 levées de deux pieds constitue le bilan de cette troisième journée d'ascension. La travée est montée en tout de 120 pieds et l'on prévoit que le lendemain midi, elle sera rendue à destination et qu'il ne restera qu'à la boulonner aux deux bras cantilevers.

Au cours de cet après-midi du mercredi 19 septembre, la température devient quelque peu mauvaise. Les hommes viennent de terminer leur travail lorsque débute une tempête de vent et de pluie. Le baromètre a baissé et les ingénieurs veillent avec quelques craintes. Cependant, le vent ne souffle pas assez fort pour déranger la travée et il ne se produit aucun incident.

À la reprise des travaux le lendemain matin, on entretient quelque crainte de ne pouvoir terminer l'ascension de la travée dans la journée car un vent de 25 milles à l'heure souffle et l'on doit interrompre le travail pendant quelques heures. Après une minutieuse inspection sur la travée, les ingénieurs décident vers 9:00 hres que l'on peut poursuivre le travail sans risque d'accident malgré la forte brise qui souffle du nord-ouest.

Les hommes se mettent donc résolument à l'œuvre avec l'espoir d'une fin très prochaine car il reste 15 degrés à franchir. À 9:14 hres, on franchit le 61 ^{ième} support d'élévation et de 9:52 hres à 11:10 hres, la travée est élevée jusqu'au 68 ^{ième} support.

Au cours de l'avant-midi, le vent augmente en vitesse mais le travail se poursuit quand même. Lorsque les ouvriers quittent le travail à midi pour le goûter, la travée est rendue à 142 pieds et il ne reste plus que 8 pieds pour atteindre le niveau des deux cantilevers.

À midi, ce 20 septembre 1917, le maire de Québec, M. Henri Lavigueur, publie une proclamation demandant à tous les citoyens de la ville de Québec de pavoiser leur maison en l'honneur de l'accomplissement de l'entreprise nationale du pont de Québec. Voici le texte intégral de sa proclamation:

PROCLAMATION

MISE EN PLACE DU TABLIER
(travée centrale)
DU GRAND PONT DE QUÉBEC

Hôtel de ville,
Québec, 20 septembre 1917.

À l'occasion du grand événement de la mise en place du tablier (travée centrale) du grand pont de Québec, pour célébrer ce triomphe extraordinaire de la science mécanique et du génie civil sur des difficultés presque insurmontables, et pour témoigner de la joie de nos citoyens pour qui cette merveille du travail humain ouvre une page nouvelle dans l'histoire du vieux Québec.

Je, soussigné, maire de Québec, invite tous les citoyens à témoigner leur allégresse en décorant et pavoisant leurs maisons, les places d'affaires, les bureaux publics, etc.

Je prie instamment les maîtres des vaisseaux de tous genres, maintenant dans le port de Québec, de pavoiser leurs vaisseaux et de faire jouer les sirènes et les sifflets de leurs bateaux.

La nouvelle de la mise en place de la travée centrale du pont sera donnée par les sirènes des bateaux sur réception d'un signal donné du grand pont.

Les autorités compétentes ont été priées de donner des concerts en plein air par les fanfares; un sur la Terrasse Dufferin, l'autre sur le Boulevard Langelier ou sur le Parc Victoria et à Limoilou à huit heures du soir si la température le permet.

HENRI-E. LAVIGUEUR,
Maire de Québec.

H.-J.-J.-B. Chouinard,
Greffier de la cité.

À la bourse de Montréal, ce jour-là, les parts de la Dominion Bridge Co. haussent quelque peu par suite du succès de la pose de la travée centrale. On demande au début 145; 144 1/2 est offert. Il y a quelques ventes à ces prix au cours de la première heure. À 10:45 hres, la cote est de 146 3/4 pour l'offre. C'est un indice intéressant qui indique la confiance dans le succès de l'entreprise.

Au cours de cette même journée, le premier vapeur à passer en-dessous de la travée centrale est le «Lingan» de Sydney C.B. en route pour Montréal. Cependant, le département de la Marine ne permet pas à d'autres vapeurs océaniques de franchir cette distance avant que la travée centrale soit définitivement boulonnée. Une exception a été faite pour le «Lingan» parce que l'on avait un besoin urgent de sa cargaison à Montréal.

À 1:30 hre, après la période d'arrêt du dîner, les ouvriers se mettent à l'œuvre de nouveau. Pouce par pouce, la travée monte sans aucune hésitation et avec une précision mathématique. Plus de cent mille personnes sont témoins des derniers coups du levier hydraulique qui rend à destination la colossale travée pesant 5 200 tonnes.

Aussitôt terminé le travail d'ascension, on s'empresse de boulonner la travée centrale aux deux bras cantilevers au moyen de huit boulons d'acier pesant chacun 1 460 livres et mesurant 10 pouces de diamètre. Le premier boulon est mis en place à 3:28 hres et le dernier à 4:00 hres.

Pour procéder ainsi au boulonnage de la travée, l'on fixe aux quatre angles supérieurs des bras cantilevers, une double série de treize lames d'acier terminées chacune par un œilleton de douze pouces de diamètre. Une double série analogue de douze lames est également fixée aux quatre angles de la travée. Lorsque celle-ci est rendue à desti-

Les ouvriers procèdent à l'installation du dernier boulon à 4:00 hres de l'après-midi en ce 20 septembre 1917.

(Photo St. Lawrence Bridge Co.)

nation, les lames supérieures et inférieures s'entrecroisent, les œille-tons étant en coïncidence parfaite. En y introduisant de puissantes chevilles, la travée reste ainsi pour toujours suspendue par 104 lames d'acier.

Avant même que la travée soit définitivement rivée, un ouvrier quitte le cantilever nord pour marcher une vingtaine de pas sur la travée et exécuter une gigue simple sur une étroite pièce d'acier à l'ébahissement des milliers de spectateurs qui se tiennent sur les deux rives et dans des embarcations. On voit alors un spectacle impressionnant lorsque des ouvriers des deux rives se jettent dans les bras les uns des autres, se félicitent mutuellement puis agitent leurs chapeaux ou casquettes. Cinq ou six ouvriers traversent à la course la travée sur toute sa longueur. Chacun d'eux veut être le premier à traverser le pont de Québec.

Dans les secondes qui suivent la fin des travaux, tous les ouvriers entourent les ingénieurs et les personnages officiels qui ont tenu à assister à ce moment historique. Ces derniers sont longuement applaudis. Il y a là: Phelps Johnson, président de la St. Lawrence Bridge Co.; G.H. Duggan, ingénieur en chef; G.F. Porter, ingénieur de la construction; W.B. Fortune, surintendant général des travaux; le col. C.M. Monsarrat; H.P. Borden et Ralph Modjeski, tous trois membres de la Commission des ingénieurs du gouvernement qui ont approuvé les plans et surveillé la construction.

M. Porter est porté en triomphe. Lorsqu'ils arrivent sur la rive nord, tous ces ingénieurs sont longuement applaudis par les milliers de spectateurs émus qui se sentent imprégnés d'une sensation étrange, celle de la grandeur et de l'inconnu. Les ingénieurs regardent leur œuvre, ne sachant s'ils doivent pleurer ou se réjouir.

Le Révérend M. Maguire, curé de Sillery, qui a porté tant d'intérêt aux travaux du pont et qui s'est tenu sur la travée centrale au cours de son trajet de Sillery au site du Pont, est également acclamé par les ouvriers.

Les locomotives qui se trouvent sur les deux rives et les bateaux dans les environs se mettent à siffler de toute la force de leur vapeur. Le bruit de ces sifflets fait bientôt transmettre la nouvelle dans toute la ville de Québec. D'autres navires qui se trouvent plus loin en font autant et c'est ainsi qu'en quelques secondes, tous les navires dans le port de Québec manifestent leur joie durant plusieurs minutes.

Puis, c'est au tour des cloches des églises de Québec et des villes avoisinantes de se faire entendre pour annoncer l'heureuse nouvelle à toute la population.

Toujours au même moment, un immense drapeau «Union Jack» qui a été fourni par M. T. Béland, un agent du département de la Marine, est hissé sur la travée centrale afin d'indiquer que le travail d'installation de la travée est terminé et que la navigation sur le

St-Laurent interrompue depuis le lundi matin précédent peut reprendre son cours. Ce drapeau est aujourd'hui la propriété de M. Jules Demers, de St-Romuald.

Dès que le signal est donné, une foule de navires, petits et gros, passent sous la travée en lançant des coups de sifflets assourdissants. Plusieurs de ces navires attendent ce moment depuis le lundi matin. Un petit remorqueur passe le premier et est suivi d'une centaine de bateaux de toutes dimensions dont plusieurs vapeurs océaniques qui en profitent pour continuer leur route.

L'heureuse nouvelle est ainsi connue par toute la ville de Québec. Sur l'ordre du maire Lavigueur, on pavoise l'Hôtel de Ville et la terrasse Dufferin. Des drapeaux surgissent sur tous les édifices publics et sur un grand nombre de maisons privées. Des concerts en plein air sont donnés à 8:00 heures le soir sur la terrasse Dufferin, sur le boulevard Langelier, au Parc Victoria et à Limoilou. Tout le monde est dans l'allégresse, non seulement les Québécois, mais aussi tous les étrangers qui se trouvent en ville pour cette occasion. Après quatre jours d'angoisse, on respire enfin librement.

Lorsque le bruit des sirènes des navires dans le port de Québec se fait entendre, annonçant l'heureux résultat de l'ascension de la travée, sir François Langelier, alors juge en chef de la Cour Supérieure, qui préside un procès à ce moment, ajourne le tribunal à l'occasion de cet événement. Le bâtonnier, Me Adjutor Rivard qui plaide devant lui, demande que le fait soit consigné au procès-verbal du tribunal.

La nouvelle est annoncée au Premier Ministre du Québec, sir Lomer Gouin. Ce dernier dit toute la joie qu'il ressent en apprenant que cette œuvre merveilleuse est terminée. Il envoie aussitôt un télégramme de félicitations à sir Wilfrid Laurier alors chef de l'opposition. En voici le contenu:

«Mes félicitations les plus sincères. Le pont de Québec, cette œuvre nationale que le pays vous doit est un fait accompli.»

(sir Lomer Gouin)

Sir Lomer envoie également le télégramme suivant au président de la St. Lawrence Bridge Co., M. Phelps Johnson:

«My heartiest congratulations upon great achievement of spanking St. Lawrence, at Québec, a great engineering feat and a credit to all Canada.»

(sir Lomer Gouin)

En plus, sir Lomer envoie une lettre de félicitations à son Honneur le maire Lavigueur. Cette lettre sera lue à la réunion du Conseil de Ville de Québec le lendemain soir de l'événement, vendredi le 21 septembre 1917.

La Chambre de Commerce de Québec fait parvenir à son tour une dépêche à sir Robert Borden, Premier Ministre du Canada, ainsi qu'à

Ruban que portaient en effigie la plupart des spectateurs présents lors des travaux d'installation de la travée centrale. Ce ruban m'a été donné par Mme Ghislaine Bégin Ouellet de St-Romuald.

sir Wilfrid Laurier, chef de l'opposition à la Chambre des Communes, à sir Charles Fitzpatrick, gouverneur général du Canada, à l'Honorable Simon-Napoléon Parent, président de la Compagnie du pont de Québec, au Col. C.M. Monsarrat, président de la Commission des ingénieurs du Gouvernement, avec copie conforme à M. A.H. Smith, président du Chemin de fer «New York Central», à M. L.F. Loree, président du Chemin de fer «Delaware & Hudson» ainsi qu'aux présidents des Chambres de Commerce de Halifax, St-Jean, N.B., et Winnipeg. Cette dépêche se lit comme suit:

«*La Chambre de Commerce de Québec vous présente ses plus sincères félicitations au sujet de l'heureux parachèvement du grand pont sur le St-Laurent à Québec qui, non seulement est une des grandes merveilles du génie civil dans le monde, mais en même temps le parachèvement des chemins de fer canadiens.*»

J.G. Scott, président
T. Levasseur, secrétaire

Au cours d'une entrevue qu'il accorde aux journalistes le soir même de l'événement, M. le Col. Monsarrat, président de la Commission du pont de Québec, déclare que le travail qui reste à faire pour rendre le pont accessible à la circulation ferroviaire ne sera pas long à réaliser et que, dans très peu de temps, les trains pourront y passer. De plus, il en profite pour redire à ceux qui se sont montrés sceptiques au sujet de la réussite de l'entreprise que le succès qui vient d'être réalisé confirme que le système utilisé par les ingénieurs pour le hissage de la travée centrale était le plus sûr et le plus économique.

Le Pont de Québec tel qu'il apparaissait après les travaux d'installation de la travée centrale. (Photo St. Lawrence Bridge Co.)

Après M. Monsarrat, c'est M. J.G. Scott, président de la Chambre de Commerce de Québec, qui s'adresse aux journalistes avec un élan d'enthousiasme. Il déclare qu'il a eu la bonne fortune d'assister à la dernière ascension de la travée centrale du pont de Québec qui relie maintenant l'est et l'ouest du pays et il témoigne toute son admiration pour cette merveille du génie. Il parle de son ami M. Phelps Johnson, le président de la compagnie qui a conduit à bonne fin cette entreprise que l'on classe maintenant comme la 8 ^{ième} merveille du monde et avec qui il est en relation depuis plusieurs années. Il vante ses grandes qualités et surtout les connaissances incontestables de M. Johnson qui a présidé dans le passé à la construction de plusieurs ponts de chemin de fer. Puis, il parle de la solidité du pont, de ses dimensions énormes et mentionne le fait qu'au cours de la visite qu'il a faite sur la structure, en dépit d'une violente tempête de vent qui éclata soudainement, il n'a ressenti aucune secousse.

M. Scott déclare que ceux qui ont participé à cette gigantesque entreprise méritent la gratitude de la population de Québec et que leur nom passera à la postérité comme ayant été les auteurs de l'une des plus grandes merveilles du génie dans le monde entier. Selon lui, les noms de Phelps Johnson, du colonel Monsarrat, Duggan, Porter et Fortune et ceux de MM. M.P. et J.T. Davis qui ont construit les piliers sur lesquels repose le pont de Québec ne pourront être oubliés.

Il mentionne également que les citoyens de Québec ont aussi contracté une dette de reconnaissance envers les ouvriers qui ont participé à cette œuvre et dont la plupart demeurent à Sillery ou à St-Romuald.

M. Scott parle ensuite des compagnies de chemins de fer, tant du côté de la rive sud que de la rive nord, qui attendaient la complétion du pont pour commencer à y circuler. Il fait remarquer que le pont de Québec permettra le transport du grain lorsque les onze compagnies de chemins de fer emprunteront le pont abrégeant ainsi de plus de 200 milles la distance entre Winnipeg, Québec et Halifax.

En terminant, M. Scott souhaite que le pont de Québec soit pour Québec ce que le pont Victoria et celui de Lachine ont été pour Montréal. Selon lui, une nouvelle ère commence pour Québec.

Le lendemain de ce jour mémorable, les ouvriers s'empressent de procéder à l'installation d'entretoises entre les bras cantilevers et la travée centrale, la rendant ainsi sécuritaire et capable d'affronter toutes les conditions de température. Dans les semaines qui suivent, c'est au tour du plancher de la travée à être terminé et une voie ferrée sur les deux prévues sera complétée pour la mi-octobre.

Une équipe d'hommes affectée à la peinture du pont se met bientôt au travail. On prévoit que la réalisation de ce travail s'échelonnera sur trois ans et que son coût sera de 35 000 $.

CHAPITRE VIII

LES ÉVÉNEMENTS QUI ONT SUIVI

Les cérémonies religieuses

L'issue heureuse de la pose de la travée centrale du pont de Québec donne lieu le dimanche 23 septembre 1917 à deux cérémonies religieuses d'actions de grâces: l'une aux abords du pont sur la rive nord, par les paroissiens de Ste-Foy; l'autre dans l'église de Sillery, par les paroissiens de Sillery.

Des milliers de personnes assistent à ces deux manifestations de reconnaissance. L'entrée du pont de Québec est pavoisée de drapeaux anglais, français, canadiens et du Sacré-Cœur. Comme la foule n'est pas admise sur le pont, elle encombre les abords des deux côtés. La cérémonie a lieu en face de la maison des ingénieurs du gouvernement, du côté ouest.

Des discours sont prononcés par l'Abbé H.A. Scott, curé de Ste-Foy, et par sir Lomer Gouin, Premier Ministre de la province de Québec. Après ces discours, un chœur de chant entonne le «Te Deum», suivi du chant national «O Canada» et du «Dieu sauve le Roi». Une fanfare accompagne les chanteurs.

Au même moment, une foule non moins considérable assiste à une autre cérémonie présidée par Son Éminence le cardinal Bégin dans l'église de Sillery. Une grande partie de cette foule est même dans l'impossibilité de pénétrer dans l'église, faute de place.

Plusieurs personnalités de Québec, accompagnées de leurs épouses, assistent à cette cérémonie rehaussée par la présence de son Honneur le lieutenant-gouverneur Évariste LeBlanc et son épouse.

La St. Lawrence Bridge Co. est aussi représentée par M. G.F. Porter, ingénieur en chef de la construction du pont et par plusieurs autres ingénieurs et personnages officiels avec leurs épouses.

Au début de la cérémonie, M. l'Abbé A.E. Maguire, curé de Sillery, prononce un sermon en anglais dans lequel il dit jusqu'à quel point la population de la région de Québec doit de la reconnaissance à Dieu pour l'heureuse issue de cette gigantesque entreprise qui marquera le début d'une ère de prospérité pour toute la région et qui, de plus, sera un sujet d'orgueil pour tout le Canada.

Vient ensuite son Éminence le cardinal Bégin qui ajoute quelques paroles en français disant son admiration pour cette oeuvre merveilleuse qu'est le pont de Québec. Il félicite les ingénieurs qui ont réalisé cette merveille et il en attribue le succès à Dieu ainsi qu'au génie de ces ingénieurs.

Son Éminence officie ensuite un salut solennel du Très Saint Sacrement accompagné par un choeur de chant formé de dames et de demoiselles. Il entonne ensuite le «Te Deum» qui est chanté par une chorale d'hommes.

De nombreux membres du clergé assistent également à cette cérémonie dont Mgr F. Pelletier, recteur de l'Université Laval, les abbés Charles et Arthur Gouin, frères de sir Lomer Gouin et plusieurs autres.

Après la cérémonie, les invités de M. le Curé Maguire sont reçus au presbytère par Mmes Allard et Taschereau, soeurs de M. le Curé Maguire.

Le passage du premier train sur le pont

Immédiatement après l'installation de la travée centrale, les ouvriers se sont empressés de finaliser son tablier et d'y construire deux voies ferrées à l'aide d'une grue mobile. La réalisation de ces travaux permet à un premier train de circuler sur le pont le 17 octobre 1917.

Ce premier convoi ferroviaire à traverser le pont de Québec est composé d'une locomotive et de deux wagons. Vers 11 hres 30 de la matinée, il franchit le pont allant de la rive nord à la rive sud avec 400 passagers à son bord. Ces personnes sont des invités de la St. Lawrence Bridge Co.

Le convoi est parti de la rive nord sur la voie de Québec pour revenir quelques minutes plus tard sur la voie de Montréal par la rive sud. Le trajet s'est effectué à la satisfaction des ingénieurs, selon l'article publié dans le journal «Le Soleil» de ce 17 octobre 1917.

Le passage du premier train régulier

À onze heures du matin le 3 décembre 1917, le premier convoi régulier franchit le pont de Québec de la rive sud à la rive nord. Il ne s'agit pas d'un train aménagé pour la circonstance comme le 17 octobre précédent, mais bien d'un train de fret régulier du chemin de fer Transcontinental. «La locomotive à vapeur de ce premier train à franchir le pont de Québec vient d'être fabriquée aux usines de la «Montréal Locomotive Works» de Montréal. Il s'agit d'une «mikado» portant la matricule n° 2900 du chemin de fer Transcontinental. En 1923,

Le premier train à traverser le pont de Québec le 17 octobre 1917.

(Photo St. Lawrence Bridge Co.)

Le Pont vu d'une extrémité comme il apparaissait en 1917.

(Photo St. Lawrence Bridge Co.)

sous le régime des chemins de fer Nationaux, elle deviendra le n°
3300». [1]

Au cours de son périple historique sur le pont de Québec en ce 3
décembre 1917, ce train à vapeur est sous la responsabilité de deux des
plus anciens employés du Transcontinental, MM. Georges Walker et
Edmund Parsons.

À la sortie nord du pont de Québec, ils immobilisent la locomotive et pendant qu'ils descendent de la cabine, les invités se regroupent
à l'avant du train pour la photo d'usage. Aucune cérémonie officielle
n'accompagne cet événement qui est pourtant d'une importance capitale pour la ville de Québec et pour le pays tout entier.

Plusieurs personnages officiels des chemins de fer du gouvernement se sont déplacés de Moncton à Québec pour la circonstance et
accompagnent le convoi sur le pont dans un char privé attaché au convoi de marchandises.

Les trains de voyageurs commenceront à circuler sur le pont une
quinzaine de jours plus tard. À partir de ce moment, l'utilisation des
traversiers-rails entre les deux rives du fleuve n'est plus nécessaire et le
«Leonard» doit abandonner son service vers 1920. C'est la fin d'une
époque.

> *«La ville de Québec voit alors réaliser son rêve qu'elle caressait depuis
> longtemps, soit de devenir le véritable carrefour de transport d'enver-
> gure nationale. Dans leur rapport pour l'année 1917, les commissaires
> du Havre de Québec affirment: «Le pont de Québec a mis la ville et le
> district de Québec en communication directe avec la rive sud du Saint-
> Laurent et les États-Unis. Il a rendu possible l'entrée de nombreux che-
> mins de fer, sillonnant jusqu'alors la rive sud, dans la ville de Québec
> dont les jetées et les facilités de transport maritime pourraient être utili-
> sées à l'avenir dans une plus large mesure».* [2]

> *«L'année suivante, en 1918, toutes les compagnies de chemin de
> fer ont leur terminus dans le havre même de Québec, ce qui fait perdre
> beaucoup d'importance à la ville de Lévis qui ne peut s'en remettre».* [3]

Les travaux de finition

Les seuls travaux qui restent à compléter sur le pont après le début
de son utilisation par les trains consistent en l'installation des trottoirs
en ciment de chaque côté de la travée centrale et la peinture de la structure qui se poursuivra jusqu'en 1918.

---

[1]   Adrien D'Astous, Canadian Rail n° 320, septembre 1978.

[2]   Cité par GIRAM, les activités économiques en zone littorale, p. 33.

[3]   Ibid., 33.

Le premier train régulier franchit le pont de Québec le 3 décembre 1917.

À la sortie nord du pont de Québec, les invités se sont regroupés pour la photo d'usage.   (Photo St. Lawrence Bridge Co.)

L'épreuve de la solidité du pont

Le 21 août 1918, on fait subir au pont de Québec la dernière épreuve majeure en vue de vérifier sa résistance avant de le livrer définitivement au gouvernement.

En présence d'un grand nombre de représentants officiels des compagnies de chemin de fer du gouvernement fédéral, de plusieurs ingénieurs de la St. Lawrence Bridge Co., des membres de la Commission du Pont de Québec et de milliers de spectateurs, on éprouve la solidité du pont en le soumettant à des pesanteurs considérables.

À 2 hres de l'après-midi ce jour-là, une première locomotive portant le matricule n° 2007 conduit par l'ingénieur Joseph Morin s'avance sur le pont avec un convoi de 17 wagons chargés de fer sous la direction du chef de train E. Blanchet et vient s'immobiliser sur la travée centrale. Le poids total de ce premier train est de 809 tonnes ou 1 618 000 livres.

Cinq minutes plus tard, à 2:05 heures p.m., une seconde locomotive portant le numéro matricule 4010 conduite par l'ingénieur E. Marcoux renouvelle l'expérience en remorquant sur le pont 35 wagons. Ce second convoi ajoute sur le pont une pesanteur de 1 842 tonnes ou 3 684 000 livres.

Dans les minutes qui suivent, un troisième engin à vapeur identifié comme étant le n° 2016 prend place à son tour sur le pont avec 17 wagons pour un total de 1 209 tonnes ou 2 418 000 livres.

Quelques instants plus tard, un quatrième engin, le n° 2015 conduit par l'ingénieur A. Drolet, vient se placer à son tour sur le pont suivi de 36 wagons totalisant un poids de 1 725 tonnes ou 3 450 000 livres.

L'épreuve consiste dans l'arrêt aux quatre extrémités des cantilevers des quatre locomotives Santa Fe pesant 257 tonnes chacune: les quatre trains se trouvant entre les piliers du pont sur la partie longue de 1 800 pieds qui est suspendue au-dessus du fleuve. Toute la charge demeure sur le pont deux heures et quinze minutes.

Le pont subit avec succès ce test ultime et le gouvernement l'accepte officiellement de la compagnie.

L'inauguration officielle du pont

Le pont de Québec est inauguré officiellement par le prince de Galles le 22 août 1919 à l'occasion d'une visite qu'il fait au Canada.

Débarqué la veille du croiseur «Renown» au Quai du Roi, le Prince est accueilli par le lieutenant-gouverneur sir Charles Fitzpatrick, son Éminence le cardinal Bégin, le lord évêque Williams, le chanoine Laberge, sir Lomer Gouin, le général Landry et son Honneur le maire Lavigueur.

Dès les premiers moments de son arrivée à Québec, le Prince est acclamé par une foule considérable qui s'est massée sur son passage. Plusieurs rues de Québec sont décorées pour la circonstance. Au sommet de la côte de la Montagne, on a installé un arc de triomphe immense portant deux inscriptions de bienvenue en anglais et en français. Un autre arc semblable a été érigé à l'extrémité de la rue du Fort près du Château Frontenac. Ce dernier aussi a été brillamment décoré à l'extérieur.

Le Prince est également l'objet de plusieurs grandes réceptions. Le soir même de son arrivée, un grand dîner a lieu à la Citadelle. Au cours de cette même soirée, un magnifique feu d'artifice est lancé de la Côte des Glacis.

Le lendemain matin, dès 10 heures 30, il assiste aux réceptions officielles données par la ville de Québec et la province de Québec dans la salle du Conseil Législatif du parlement. Ils se rend ensuite visiter l'Université Laval. À son retour, il va déposer des fleurs au pied du monument Champlain et continue à l'hôpital Jeffrey Hale. Dans l'après-midi, il dépose des couronnes de fleurs aux pieds des monuments Montcalm, Wolfe et des Braves. Il se rend ensuite procéder à l'inauguration du Parc des Champs de Bataille en hissant un drapeau au mât que l'on y a planté. Le Prince est ensuite conduit au pont de Québec pour procéder à son inauguration.

Il arrive au pont en automobile, accompagné du lieutenant-gouverneur de la Province de Québec, sir Charles Fitzpatrick et d'un aide-de-camp. En débarquant de son auto, le Prince de Galles est vivenent acclamé par la foule qui se presse autour du train qui le conduira sur les lieux de la cérémonie.

Le lieutenant-gouverneur le présente d'abord à quelques-uns des ingénieurs de la construction du pont puis la délégation monte dans le convoi qui doit se diriger vers la rive sud du fleuve.

Ce dernier train est constitué de huit ou dix wagons, dont les deux derniers sont de simples chars-plateformes, où les bancs sont remplacés par des chaises et dont les parois, d'une hauteur de deux ou trois pieds, sont tendues à l'intérieur comme à l'extérieur de longues pièces de tissus bleu-blanc-rouge.

Le Prince prend place à bord du dernier char-plateforme, sur un fauteuil assez élevé. Il est accompagné de sir Charles et Lady Fitzpatrick, de sir Lomer Gouin, de sir Georges Garneau, de son Honneur le maire, Madame et Mademoiselle Lavigueur, de Monsieur W.B. Fortune, surintendant de la construction du pont, du général et de Lady Watson, du général J.P. Landry, du général T.L. Tremblay, de Monsieur M.P. Davis, ingénieur de la maçonnerie et de Monsieur G.F. Porter, ingénieur de la construction du pont et du Révérend M. Maguire, curé de Sillery.

Le Prince de Galles se rend en voiture procéder à l'inauguration du Pont de Québec.

(Photo W.B. Edwards, Québec)

Le train se met en marche à très petite vitesse aux alentours de 4:15 heures. À l'entrée du pont, il y a un arrêt pour permettre au Prince de dévoiler deux plaques de bronze où sont inscrits les noms des ministres et ingénieurs ayant contribué à l'érection du pont.

Puis, le convoi se remet en marche très lentement, la traversée du pont dure plus de vingt minutes. À l'autre extrémité du pont, la même cérémonie se répète: le Prince enlève des drapeaux britanniques qui recouvrent deux autres plaques commémorant des dates importantes ayant trait à la construction du pont.

Soudainement, le temps devient plus frais et un vent annonciateur d'orage fait claquer les drapeaux et banderolles qui ornent les deux entrées du pont. À ces claquements de banderolles, s'ajoute bientôt un autre bruit, celui d'un avion qui vient effectuer des acrobaties aériennes pendant quelques minutes au-dessus du pont. C'est le biplan «Curtiss» de Vézine, celui-là même qui a accueilli le Prince de la même façon au moment où le «Renown» pointait devant Québec la veille. Après ses cabrioles au-dessus du pont, l'avion de Vézine descend du ciel en vrille et paraît vouloir plonger dans le fleuve et s'engouffre tout à coup dans l'espace laissé libre entre l'eau et la travée centrale pour s'envoler de l'autre côté du pont dans la direction de Québec. [4]

Puis, le convoi se rend jusqu'à New Liverpool sur la rive sud. À cet endroit, un très grand nombre de personnes se sont réunies pour voir le Prince et assister à l'inauguration du pont. Ces gens cherchent à attirer l'attention du Prince en battant des mains en son honneur. À plusieurs reprises, son Altesse salue de la main les manifestants.

Tous ceux qui côtoient le Prince au cours de cette excursion sont unanimes à affirmer qu'il fait preuve d'une simplicité charmante jointe à une certaine timidité qui constitue un des traits distinctifs de son caractère. Le futur roi qui va bientôt atteindre sa vingt-cinquième année présente une apparence juvénile et grâce à sa grande amabilité, il sait se gagner tous les cœurs très rapidement. Pour les passagers du train avec qui il partage ce grand moment, le Prince se montre de compagnie très agréable et est rempli d'attentions envers tous et chacun. Il porte le plus vif intérêt aux explications que les ingénieurs lui fournissent sur ce gigantesque travail que constitue la construction du pont et passe de longues minutes à contempler le fleuve qui coule à ses pieds.

Au retour de la rive sud, le convoi circule à reculons sur la voie jumelle de celle qu'il a empruntée pour venir. Revenues du côté nord, les personnes présentes se préparent pour la dernière partie prévue au programme: celle des discours.

Au même moment, une pluie fine commence à tomber. Le gouverneur général demande au maire Lavigueur de remettre à plus tard la prononciation de son discours mais le Prince intervient et s'adressant au maire Lavigueur, il dit: «Ce n'est pas une légère pluie qui va trou-

---

[4] Georges-Louis Vézine, as français de l'aviation de la première guerre mondiale avait offert ses services à la ville de Québec au début de 1919 comme attraction pour l'exposition provinciale. Le contrat qui le lie avec la Commission de l'Exposition provinciale de Québec stipule que ce dernier s'engage à faire des envolées d'une durée globale de deux heures par jour, sur un biplan Curtiss, à deux places, au Parc de l'Exposition provinciale ou ailleurs, pendant une période de trois mois, soit du 20 juin au 20 septembre 1919.

C'est donc dans le cadre de ces envolées que Vézine survole ainsi le pont de Québec au moment de son inauguration officielle comme il l'avait fait quelques minutes plus tôt au Parc des Champs de Bataille lors de la visite du Prince à cet endroit.

(Mgr René Bélanger, L'avion à la conquête de la côte-nord, éd. Laliberté, 1977, p. 18.)

bler la fête: nous en avons vues bien d'autres pour notre part. Lisez votre adresse M. le maire, je veux avoir le plaisir d'y répondre en français.»

On apporte un parapluie au Prince à l'abri duquel il écoute attentivement le discours de M. Lavigueur:

«*Qu'il plaise à Votre Altesse Royale,*

Au lendemain des acclamations enthousiastes qui ont salué votre arrivée à Québec, nous voici de nouveau réunis en grand nombre pour vous témoigner notre reconnaissance pour le grand honneur que vous nous faites en venant présider à l'inauguration du grand Pont de Québec.

La cérémonie de ce jour, rehaussée par la présence de l'héritier présomptif du plus puissant Empire, est le digne couronnement de cette entreprise gigantesque qui a ajouté une merveille plus grande encore au groupe imposant de ce que l'on est convenu d'appeler les merveilles du monde.

Il convenait qu'une main royale vint faire tomber le voile qui dérobait à nos regards les noms des promoteurs et des artisans incomparables qui ont accompli ce prodige de la science et de l'industrie humaines.

Avec cette aimable condescendance qui distingue la Famille Royale d'Angleterre, Votre Altesse Royale a daigné se rendre au vœu de toute notre population et nous vous en remercions de tout cœur.

Ce jour nous en rappelle un autre inscrit au tableau d'honneur dans nos annales canadiennes.

En effet, mardi prochain le 25 août, il y aura cinquante-neuf ans accomplis que votre illustre aïeul, alors Prince de Galles devenu depuis notre bien-aimé Souverain Édouard VII, de glorieuse mémoire, inaugurait officiellement à Montréal le Pont Victoria, réputé à cette époque la plus imposante construction du genre dans le monde entier.

Aujourd'hui, la cité de Champlain n'a rien à envier à sa puissante rivale, la cité de Montréal, puisque grâce à la libéralité, à l'énergie, à la persévérance du gouvernement canadien, grâce aux efforts réunis des deux grands partis politiques qui dans les vingt dernières années, ont présidé aux destinées de notre pays, grâce enfin à la science, aux conceptions hardies d'ingénieurs éminents, au travail héroïque d'intrépides ouvriers, nous avons vu, par des procédés inconnus jusqu'à ce jour se dresser dans l'air la silhouette immense du grand Pont de Québec dont les lignes colossales s'encadrent si bien dans les vastes proportions des paysages qui l'entourent.

De même que votre illustre aïeul était venu inaugurer à Montréal le pont Victoria, présage avant-coureur de l'établissement de la Confédération canadienne, de même votre Altesse Royale vient présider à l'ouverture officielle du Grand Pont de Québec au seuil de l'ère de prospérité qui s'ouvre devant nous, et qui présage le triomphe de la paix et la consolidation de l'Empire.

À dater de ce jour, il sera permis à tous de venir s'incliner devant cette plaque commémorative pour y lire les noms des promoteurs et des artisans de cette œuvre qu'il est permis de dire impérissable, si l'on considère la force et la puissance des matériaux qui y sont combinés.

On pourra y lire aussi les noms des ingénieurs éminents qui, avec une indomptable persévérance et en dépit de lamentables catastrophes, ont réussi à dresser dans les airs cette masse immense qui défiait tous les efforts humains.

On y lira enfin les noms des personnages illustres des hommes d'État éclairés, qui ont présidé à cette entreprise. Et l'on donnera un souvenir ému à la mémoire des ouvriers intrépides qui ont scellé du sacrifice de leur vie leur zèle et leur dévouement au devoir.

Cette inauguration solennelle d'une des plus grandes œuvres accomplies par le génie de l'homme est d'un heureux augure.

Au début de la carrière brillante qui s'ouvre devant Votre Altesse Royale ce jour restera, nous l'espérons, l'un des plus chers souvenirs de votre promenade triomphale à travers les vastes domaines de l'Empire.

Pour nous Canadiens, l'inauguration officielle du grand Pont de Québec soude le dernier chaînon du ruban d'acier qui à travers les provinces canadiennes relie les rives de l'Atlantique à celles du Pacifique.

C'est la réalisation du rêve tant désiré pendant trois quarts de siècle par les citoyens de Québec. Pourquoi n'y verrions-nous pas l'image, disons mieux le présage de l'union plus intime et vraiment fraternelle qui doit s'établir entre tous les éléments de notre population pour accomplir les hautes destinées que la Providence réserve à notre cher Canada.

Altesse Royale, tels sont les sentiments qui nous animent tous en ce moment où nos acclamations saluent en votre personne l'héritier du trône et s'en vont à travers l'océan porter à nos bien-aimés Souverains l'expression de notre loyauté à la Couronne britannique.»

H.E. Lavigueur
Maire de Québec

Puis, le Prince prenant la parole à son tour déclare:

«Monsieur le maire, messieurs,

Je vous remercie de l'honneur que vous m'avez fait en m'invitant à venir présider à l'inauguration de cette magnifique entreprise. J'éprouve un grand plaisir en couronnant aujourd'hui l'œuvre initiale inaugurée par mon aïeul, le roi Édouard au Pont Victoria de Montréal en 1860. Depuis ce temps-là la construction des chemins de fer canadiens, conception intrépide de vos hommes d'état, de vos financiers, de vos ingénieurs a permis aux deux races fondatrices de la civilisation canadienne de se rapprocher en réunissant les côtes de l'Atlantique à celles du Pacifique.

Messieurs, en inaugurant le grand Pont de Québec, je salue le génie indomptable et le destin éclatant de la nation canadienne, joyau impérissable de la Couronne Britannique.»

Après ces discours, le fils de George V repart immédiatement pour Québec en auto où il devra procéder dans les minutes qui suivront à la décoration de 16 vétérans de la grande guerre. Une demi-heure plus tard, le beau temps est revenu.

Dans la soirée, il assiste à un dîner au Club de la Garnison et à un grand bal à la Citadelle.

Dix-sept ans plus tard, en janvier 1936, le Prince succède à son père George V comme Roi d'Angleterre et prend le nom d'Édouard VIII. Quelques mois plus tard, devant l'opposition du gouvernement et de la presse à son projet de mariage avec Mrs. Simpson, une Américaine deux fois divorcée, il abdique en faveur de son frère, qui devient roi en décembre sous le nom de George VI.

Le Prince de Galles au moment de l'inauguration du Pont de Québec le 22 août 1919.   (Photo St. Lawrence Bridge Co.)

CHAPITRE IX

UNE VOIE CARROSSABLE SUR LE PONT

Nous ne sommes pas sans nous rappeler qu'au moment de l'étude des soumissions présentées par quatre compagnies au mois d'octobre 1910 pour le choix d'un devis devant servir à la construction du pont, une division était survenue parmi les membres du bureau des ingénieurs et que, pour régler cette question litigieuse, on dut faire appel à deux ingénieurs consultants MM. Butler et Hodge. Ces derniers vinrent confirmer la recommandation de MM. Modjeski et MacDonald au sujet du devis B de la St. Lawrence Bridge Co. qui comportait deux voies ferrées, deux chemins carrossables et deux trottoirs.

Ce n'est qu'au moment de la présentation de son rapport au Ministère que le bureau des ingénieurs se ravisa et opta plutôt pour le devis X qui était identique au premier, sauf qu'il ne comportait pas de voies carrossables. Le choix du devis X permettait ainsi au gouvernement de réaliser de grandes économies d'autant plus que les voies carrossables ne constituaient pas un besoin essentiel à cette époque, compte tenu du peu d'automobiles en circulation. Les rapports du Ministère de la Voirie nous indiquent que seulement 786 véhicules automobiles étaient enregistrés dans toute la province de Québec en 1910. [1]

Avec les années, le nombre de véhicules augmenta considérablement. Les statistiques de 1929 à ce sujet sont fort éloquentes puisque nous constatons qu'un grand total de 169 105 véhicules-moteurs étaient enregistrés au Québec se répartissant de la façon suivante:

132 839	autos de promenade
7 390	taxis
514	autobus
2 380	motocyclettes
25 982	camions [1]

---

[1] Rapport du Ministère de la Voirie 1936-37.

L'établissement d'une voie carrossable sur le pont de Québec devenait plus qu'une nécessité. C'est ainsi que le 4 avril 1929 était sanctionnée «la loi concernant la construction d'un chemin carrossable sur le pont de Québec» que nous reproduisons ici intégralement:

CHAPITRE 6

Loi concernant la construction d'un chemin carrossable sur le pont de Québec

(Sanctionnée le 4 avril 1929)

Préambule.

Attendu que, par la loi 17 George V, chapitre 2, il a été pourvu à la construction d'un chemin carrossable sur le pont de Québec, conjointement par le gouvernement de la province de Québec et par la cité de Québec;

Attendu que, à la suite de diverses négociations avec la cité de Québec, le gouvernement de la province en est venu à la conclusion qu'il serait mieux de construire seul ce chemin carrossable sur le pont de Québec;

Attendu qu'il y a lieu de l'autoriser à construire seul le chemin carrossable sur le pont de Québec et à en supporter le coût;

Attendu qu'à cet effet le gouvernement de la province a fait avec Sa Majesté, représentée par le ministre des chemins de fer et canaux du Canada, le contrat reproduit comme cédule de la présente loi;

Attendu qu'il y a lieu de ratifier ledit contrat;

À ces causes, sa Majesté, de l'avis et du consentement du Conseil législatif et de l'Assemblée législative de Québec, décrète ce qui suit:

Construction d'un chemin carrossable sur le pont de Québec.

1. Il est loisible au gouvernement de cette province de faire construire un chemin carrossable sur le pont reliant les deux rives nord et sud du Saint-Laurent, près de Québec, communément appelé ''Pont de Québec'' et de faire exécuter tous autres travaux d'approches et de confection de chemins nécessaires pour relier le tablier établi sur ledit pont avec le chemin le plus rapproché à chacune de ses extrémités, suivant les plans et devis préparés en conformité du contrat mentionné dans l'article 6 et approuvés par le lieutenant-gouverneur en conseil.

Montant autorisé pour la construction de ce chemin, etc.

2. Le gouvernement de la province est autorisé à dépenser, pour défrayer le coût de la construction dudit chemin carrossable et des chemins lui donnant accès, ainsi que le coût des autres travaux, acquisitions et expropriations pour les fins mentionnées dans l'article 1, un montant n'excédant pas quatre cent mille dollars (400 000.00 $), payable à même le fonds consolidé du revenu; et le trésorier de la province est également autorisé à avancer, de temps à autre, sur certificat du ministre des travaux publics et du travail, jusqu'à concurrence de ladite somme, les montants nécessaires pour la mise à exécution de la présente loi.

3. 1. Le gouvernement est autorisé à acquérir, à l'amiable ou par expropriation, tous immeubles, droits immobiliers, charges, baux à loyer, baux emphytéotiques, rentes constituées ou droits quelconques, pour les approches, chemins, tunnels, passerelles au-dessus des voies de chemin de fer et tous autres travaux nécessaires.

2. Toute expropriation nécessitée pour parvenir aux fins visées par la présente loi est soumise aux dispositions de la Loi des chemins de fer de Québec (Statuts refondus, 1925, chapitre 230).

4. Le lieutenant-gouverneur en conseil peut imposer et prélever des péages sur ledit chemin carrossable, et, à cette fin, faire, modifier et remplacer un tarif des taux à prélever, approuvé suivant les termes du contrat reproduit come cédule de la présente loi.

5. La loi 17 George V, chapitre 2, est abrogée.

6. Le contrat entre Sa Majesté le Roi, représenté par le ministre des chemins de fer et canaux du Canada, et Sa Majesté, représentée par le ministre des travaux publics et du travail de la province, et reproduit comme cédule de la présente loi, est ratifié.

7. Le gouvernement de la province, tout ministre de ce gouvernement, de même que tout officier sous leur contrôle ont chacun tous les pouvoirs nécessaires pour exécuter tous les actes, faire toutes les choses et remplir tous les devoirs qui leur sont attribués respectivement par le contrat ci-après reproduit et pour les fins de son exécution.

8. La présente loi entrera en vigueur le jour de sa sanction.

Marginal notes:
Acquisition d'immeubles, etc.

Dispositions applicables aux expropriations.

Péages.

17 Geo. V, c. 2, ab.

Contrat ratifié.

Pouvoirs relatifs à l'exécutions de ce contrat.

Entrée en vigueur.

CÉDULE

Contrat conclu le 15 novembre, mil neuf cent vingt-huit

ENTRE:

SA MAJESTÉ LE ROI, ici représenté par le ministre des chemins de fer et canaux du Canada (ci-après appelé ''le ministre''),

de première part,

SA MAJESTÉ LE ROI, ici représenté par le ministre des travaux publics et du travail de la Province de Québec (ci-après appelé "la Province"),

de seconde part.

Attendu que la Province désire faire construire, pour l'usage du public, une route carrossable sur le pont de Québec, avec des approches entre ce pont et le chemin le plus rapproché à chaque extrémité dudit pont, et qu'elle a demandé au ministre de passer le présent contrat avec la Province, afin de construire, maintenir et exploiter ce chemin, et que la Province a demandé le droit et le privilège de construire, maintenir et exploiter ce chemin, et que le ministre a consenti à accorder la demande de la Province, d'après et sujet aux termes et conditions ci-après mentionnés;

En conséquence, le présent contrat fait foi que, en considération de ce qui précède et des clauses et conventions contenues aux présentes, les parties arrêtent et stipulent ce qui suit:

1. La Province devra construire à ses propres frais et dépens, sur la partie du pont de Québec (ci-après appelé le "pont"), entre les deux voies de chemin de fer qui s'y trouvent, les bases ou fondations nécessaires et le chemin carrossable avec ses approches, (ladite partie du pont, des bases ou fondations et le chemin, ainsi que les approches étant ci-après appelés le "chemin"), conformément au plan ou aux plans et devis qui devront être approuvés par celui qui sera alors l'ingénieur en chef de l'exploitation (ci-après appelé "l'ingénieur") des chemins de fer Canadiens nationaux, et devra exécuter et parfaire les travaux de construction des bases ou fondations nécessaires et du chemin nécessaire, avec ses approches, le tout à l'entière satisfaction de l'ingénieur, et la Province pourra, lorsque le chemin sera ainsi achevé, et dès que la Province se sera conformée à toutes les conditions de la clause 3 du présent contrat, conditions qui devront être accomplies avant l'exploitation du chemin carrossable sur le pont, subordonnément à l'autorisation légale qui peut être requise à cet égard, ouvrir le chemin pour servir de voie carrossable.

2. La Province pourra occuper les terrains du ministre sur la voie de ces approches, tel qu'indiqué sur ledit plan ou lesdits plans approuvés par l'ingénieur, mais la Province devra, à ses propres frais et dépens, obtenir et (ou) fournir tous les terrains nécessaires auxdites approches.

164

3. La Province devra, seule, à ses frais et dépens, ériger et maintenir toutes les barrières et installer tous les signaux et lumières, et fournir le courant électrique à cette fin, pour le chemin et pour toutes ses traverses de chemin de fer, et exécuter tous les travaux d'élimination des passages à niveau des traverses de chemin de fer ou de protection s'y rapportant, qui peuvent être actuellement ou pourront être, en tout temps à l'avenir, nécessaires ou requis par suite de la construction ou de l'exploitation du chemin, et en supporter et en payer le coût, et ériger ou installer et faire fonctionner tous les appareils de protection pour le chemin et toutes les traverses de chemin de fer qui pourront être en tout temps requis ou nécessaires, et à ces fins employer tous les gardiens requis ou nécessaires, le tout à l'entière satisfaction ou avec l'approbation de l'ingénieur ou de l'autre officier alors nommé par le ministre pour agir à la place de l'ingénieur aux fins du présent contrat, ou selon qu'il sera autrement requis, de temps à autre, par l'autorité compétente.

4. La Province devra commencer les travaux qu'elle doit exécuter, tels que stipulés ou mentionnés dans la clause précédente numéro un, au plus tard, le premier jour de juillet 1929, et les compléter, au plus tard, le premier jour de novembre, 1929.

5. La Province devra, pendant la durée du présent contrat, renouveler, entretenir et maintenir en bon état de réparation, le tout à la satisfaction complète et avec l'approbation de l'ingénieur ou de l'officier alors nommé par le ministre pour agir à la place de l'ingénieur aux fins du présent contrat, ou selon qu'il sera autrement requis, de temps à autre, par l'autorité compétente, tous les travaux qu'elle doit exécuter et toutes les choses qu'elle doit faire en vertu du présent contrat, y compris le placement des fils, les lumières, les signaux et l'éclairage du chemin sur tout son parcours.

6. La province devra à toujours garantir et indemniser le ministre, ses officiers, agents, serviteurs et employés, et (ou) la compagnie du chemin de fer Canadien national, et (ou) toute autre compagnie de chemin de fer dont les convois circuleront sur le pont, ses ou leurs officiers, agents serviteurs et employés, de toute perte ou tout dommage quelconque causés par le ministre ou quelqu'un des susdits préposés ou par la compagnie de chemin de fer Canadien national ou toute autre compagnie de chemin de fer dont les convois circuleront sur le pont, ou quelqu'un de ses ou de leurs susdits préposés, en raison, à cause ou par suite de la construction ou de l'entretien ou

du défaut d'entretien du chemin, lorsque cette perte ou ce dommage n'aurait pas été subi, si le chemin n'avait pas été construit et (ou) utilisé pour le chemin carrossable, tel que convenu en vertu du présent contrat, et la Province devra garantir et indemniser à toujours le ministre et ses susdits préposés et (ou) la compagnie du chemin de fer Canadien national et (ou) toute autre compagnie de chemin de fer faisant circuler ses convois sur le pont et ses ou leurs susdits préposés, de ou contre toutes réclamations et demandes, actions, poursuites ou autres procédures prises, portées ou intentées par qui que ce soit pour prétendus dommages, provenant de quelque cause que ce soit, qu'aurait soufferts ou subis toute personne circulant sur le chemin, ou toute corporation s'en servant comme chemin carrossable.

7. La Province pourra demander et recevoir les péages, pour véhicules ou animaux passant sur le chemin, qui seront, de temps à autre, approuvés par le gouverneur en conseil.

8. La Province devra employer les revenus provenant des péages mentionnés dans la clause immédiatement précédente, dans l'ordre et pour les fins suivantes:

Premièrement: au paiement, chaque année, du coût et des frais d'entretien et d'exploitation du chemin;

Deuxièmement: au paiement, chaque année, de l'intérêt, n'excédant pas le taux de cinq pour cent par année, payable par la Province sur le montant réellement dépensé au compte du capital, n'excédant pas la somme de quatre cent mille (400 000 $) dollars, qui doit être engagé pour la construction du chemin.

Troisièmement: à pourvoir, chaque année, à un fonds d'amortissement suffisant pour amortir, dans une période de quarante ans, à compter de la date du présent contrat, le montant réellement dépensé au compte du capital, n'excédant pas la somme de quatre cent mille (400 000 $) dollars, qui doit être engagé dans la construction du chemin.

Quatrièmement: à payer, chaque année, au ministre, — à même toute balance qui restera après les trois paiements mentionnés dans la présente clause, — la somme de six mille (6 000 $) dollars, dont la somme de deux mille (2 000 $) dollars qui représente, pour le ministre, annuellement, les frais d'entretien additionnels de tout le pont, (sauf le chemin et les voies de chemin de fer sur le pont), par suite de l'existence et de l'exploitation du chemin sur le pont, et quatre mille ($4 000) dollars qui représentent, pour le ministre, annuellement, un quart des frais prévus d'entretien de tout le pont, sauf le chemin et les voies de chemin de fer.

Le paiement que la Province doit faire au ministre en vertu de la présente clause, devra être effectué suivant chaque année de calendrier, sauf les stipulations contraires ci-après contenues, pendant la période du présent contrat, le ou avant le quinze janvier de l'année suivante, le paiement à faire la dernière année de la période du présent contrat devant être effectué le quinze janvier de la même année, et, si le revenu d'une année quelconque n'est pas suffisant pour effectuer au ministre le paiement prescrit ou mentionné dans la présente clause, le déficit sera comblé et payé par la Province au ministre, la première ou les premières années suivantes. Tous les arrérages porteront intérêt au taux de cinq pour cent par année jusqu'au paiement, à compter de la date où ils seront dus.

9. De temps à autre et en tout temps pendant la période du présent contrat, la Province permettra à l'officier ou aux officiers du ministre, nommés par lui de temps à autre à cette fin, de faire l'inspection voulue de tous les livres, comptes, rapports et pièces justificatives de la Province et (ou) en la possession de cette dernière, afin de contrôler ou de vérifier les rapports des opérations de la Province et de déterminer le surplus destiné au paiement de la somme due au ministre, comme susdit, et provenant des revenus de la Province; la Province devra conduire ses opérations aussi économiquement que possible et les salaires payables par elle devront être, de temps à autre, approuvés par le ministre.

10. Si la Province omet de payer, à son échéance, une somme qu'elle est tenue de verser, en vertu du présent contrat, ou omet autrement de remplir quelqu'une des obligations auxquelles elle est tenue en vertu des présentes, et si cette omission se continue pendant six mois après qu'un avis écrit de cette omission aura été donné à la Province par le ministre, ce dernier, à son choix, pourra déclarer immédiatement le présent contrat résolu, et pourra interdire à la Province l'usage ou la possession dudit chemin.

11. La Province devra exploiter et contrôler, à ses propres frais, la circulation des véhicules sur le chemin, sauf, en tout temps, le droit de passage privilégié pour la circu-

lation et le fonctionnement des wagons de chemin de fer sur le pont, et devra se conformer aux conditions concernant la circulation et les signaux entre les convois de chemin de fer et les véhicules, qui seront, de temps à autre, soumises à cette fin par le ministre à la Province, ou imposées par une autre autorité compétente.

12. Le ministre ne s'engage et ne s'oblige aucunement à entretenir ou à remplacer la structure ou les structures formant partie du pont ou dudit chemin ou de tous autres travaux s'y rapportant.

13. Rien de ce qui est stipulé ou contenu dans le présent contrat, ne devra être considéré ou interprété comme interdisant au ministre, de quelque manière ou dans quelque mesure que ce soit, d'accorder, de temps à autre, pendant la période du présent contrat, à une ou plusieurs compagnies de chemin de fer, des droits de passer ou de circuler sur le pont, ni comme conférant à la Province un droit de réclamation ou de revendication quelconque contre le ministre, à raison, à cause ou par suite d'un des droits de passage ou de circulation qui pourront être ainsi accordés, de temps à autre, par le ministre.

14. Comme mesure temporaire, afin de donner un délai suffisant pour l'élimination des passages à niveau à chaque extrémité du pont, le ministre s'engage à détourner la circulation des convois de chemin de fer sur la voie de l'ouest ou d'amont du pont, mais se réserve le droit d'occuper ou d'utiliser de nouveau la voie de l'est ou d'aval, si nécessaire, et la Province paiera tous les frais que le ministre aura à payer par suite de ce détournement du trafic, et elle fournira de plus toutes les barrières, les gardiens et les signaux qui pourront être, en tout temps, requis.

15. Le présent contrat demeurera en vigueur pendant une période de trente ans (30), à compter de la date des présentes.

16. Le présent contrat, et tout ce qui y est contenu, sera obligatoire pour les parties aux présentes, leurs successeurs et ayants droit respectifs, et leur profitera.

En foi de quoi le ministre, représentant Sa Majesté, comme susdit, et le secrétaire du département des chemins de fer et canaux du Canada ont signé les présentes et y ont apposé le sceau dudit département, et la Province a fait signer les présentes par le ministre des travaux publics et du travail de la Province de Québec, les jour et année en premier lieu mentionnés.

Signé, scellé et délivré par sa Majesté, de la manière susdite, en présence de	(Signé) G.-A. BELL, *Sous-ministre des chemins de fer et canaux.*
(Signé) J. PROULX	(Signé) J.W. PUGSLEY, *Secrétaire.*
Signé, scellé et délivré par la Province, de la manière susdite, en présence de	(Signé) ANTONIN GALIPEAULT, *Ministre des travaux publics et du travail de la Province de Québec.*
(Signé) J.-A. MÉTAYER, *Sous-ministre T.P.*	

À compter de ce moment, les travaux débutent pour la construction de la dite voie carrossable au centre du pont, entre les deux voies ferrées. L'espace libre est de 4,27 mètres de largeur.

Au cours du mois de septembre 1929, les travaux vont bon train et l'on prévoit que les autos pourront commencer à circuler sur le pont avant la fin du mois.

Au retour d'une inspection des travaux qu'il effectue en compagnie du Colonel Monsarrat le 19 septembre 1929, M. Yvan Vallée, sous-ministre des Travaux Publics, déclare que l'ouverture de la route sur le pont pourra se faire dans quelques jours et que, si la température se maintient clémente, on pourra commencer à y circuler à compter de dimanche le 22 septembre puisque les travaux essentiels auront pu être complétés à cette date. Vendredi le 19 septembre, les travaux de pavage sont terminés et, pour que la route puisse être ouverte, les ouvriers du département des Travaux Publics doivent toutefois compléter les derniers travaux aux approches, terminer la coupe du roc du côté de Québec et installer un abri temporaire pour l'agent qui sera affecté à la perception des droits de péage. Les approches de chaque côté du pont ne seront que temporaires puisque le travail définitif est prévu être réalisé plus tard en automne ou même le printemps suivant. Il en est de même pour les travaux de drainage.

Malgré cela, les automobilistes ont hâte à l'ouverture et sont vraiment anxieux d'utiliser cette fameuse route sur le pont.

Le ministre des Travaux Publics respecte sa parole d'ouvrir la route à la circulation dans le plus court délai possible même si tout n'est pas terminé, et tel que prévu, dimanche le 22 septembre 1929, à huit heures du matin, la voie carrossable du pont de Québec est ouverte à la circulation automobile.

Bien que l'ouverture de la route n'a pas été annoncée, un grand nombre d'automobilistes profitent de l'occasion pour traverser d'une rive à l'autre ce jour-là sans devoir utiliser la Traverse de Lévis. Au début de la journée, un nombre relativement restreint de personnes savent que la route du pont de Québec est ouverte; cependant, la nouvelle se répand assez rapidement à tel point que le trafic est très dense à certaines heures de l'après-midi. Les cinq percepteurs de billets placés à l'entrée du pont du côté de Québec sont débordés de travail surtout en raison du grand nombre d'automobilistes qui ne se sont pas procuré leurs billets, n'ayant pas été prévenus assez longtemps d'avance de l'ouverture de la voie.

Le taux de péage sur le pont est le suivant: 50 sous par automobile et 10 sous par passager. Par contre, ceux qui prennent la précaution de s'acheter des livrets de billets voient leur coût de passage diminuer considérablement puisque les billets d'automobile se vendent 2.50 $ pour 10 et les billets de passagers 1.00 $ pour 25 billets. Les piétons sont admis gratuitement sur le pont.

En ce jour d'ouverture, tout le monde semble satisfait de l'état de la route que l'on dit très belle. Au cours des premières semaines, elle ne sera ouverte à la circulation que durant le jour c'est-à-dire de 8:00 heures du matin à 7:00 heures le soir puisque le système d'éclairage n'est pas terminé. Les automobilistes ne doivent pas non plus excéder la vitesse de 15 milles à l'heure sur le pont.

Ce chemin de 4,27 mètres de largeur qui, au premier abord paraît assez étroit, permet aux automobiles de se rencontrer assez facilement. Cependant, des gardiens sont placés à chaque extrémité du pont et lorsque survient un autobus, un camion ou tout autre véhicule qui excède la largeur normale d'une automobile, ces gardiens, à l'aide d'un système téléphonique, s'informent mutuellement de l'arrivée du véhicule plus large et interrompent la circulation dans un sens pour permettre au véhicule plus large de passer et par la suite, la circulation peut reprendre dans les deux sens.

Le sous-ministre des Travaux Publics, M. Yvan Vallée, qui s'est occupé personnellement de hâter le parachèvement des travaux de construction de la voie carrossable, est l'un des premiers à traverser le pont en automobile en ce dimanche 22 septembre 1929.

Au cours du même après-midi, par une heureuse coïncidence, son Éminence le Cardinal R.M. Rouleau, archevêque de Québec, est au nombre de ceux qui inaugurent la nouvelle route. Depuis quelques semaines, M. l'Abbé Dupont, curé de St-Romuald, a demandé aux responsables des travaux de faire la plus grande diligence possible afin de permettre à Son Éminence qui terminera sa visite pastorale à St-Romuald le 22 septembre de pouvoir passer un des premiers sur le pont en automobile. Comme la voie carrossable est ouverte depuis le matin, le Cardinal revient donc à Québec par la nouvelle route accompagné de M. l'Abbé Dupont, de M. l'Abbé Edgar Chouinard, vice-chancelier de l'archevêché et d'une nombreuse délégation de citoyens de St-Romuald.

Le kiosque de perception du pont de Québec avec ses entrées. À gauche, se trouve la maison des percepteurs et on voit à droite le mur longeant le parc.

(Photo: Archives nationales du Québec)

Cependant, le premier à franchir cette fameuse voie carrossable du pont de Québec a été M. J. Émile Renaud, secrétaire du Club automobile de Québec, qui est revenu la veille de Washington en compagnie de son épouse et de M. Émile Labrecque du C.N.R. et de son épouse. Quelques personnes seulement avaient été autorisées à franchir le pont en automobile au cours de la journée de samedi le 21 septembre.

Il semble toutefois, selon des affirmations recueillies auprès de certaines personnes qui ont été témoins de l'événement, que le premier à franchir le pont de Québec en automobile a été M. Théodore Lambert, de St-Nicolas, qui a accompli son exploit en 1927, soit deux ans avant l'avènement de la voie carrossable, en circulant sur les dormants d'une voie ferrée avec son automobile de marque Lincoln. Il était accompagné lors de son périple sur le pont de deux autres personnes dont il nous fut impossible d'obtenir les noms. [2]

L'exploit de M. Lambert a été réalisé immédiatement après le passage d'un train à l'insu du contremaître pour l'entretien du pont M. Alexandre Barbeau, celui-là même qui survécut à la catastrophe de 1916. Monsieur Lambert a effectué son excursion de la rive nord à la rive sud pour revenir ensuite sur la rive nord puisque aucune issue n'existait pour les autos du côté sud à cette époque. Le geste de M. Lambert venait démontrer clairement la nécessité et surtout la volonté des citoyens d'obtenir une voie de passage pour les autos sur le pont de Québec.

«L'ouverture de cette voie carrossable en 1929 est donc accueillie avec joie par les automobilistes et les conducteurs d'autres véhicules, mais cause un sérieux préjudice à la traverse de Lévis en lui faisant perdre une bonne partie de sa clientèle. Cette dernière doit s'accommoder de la concurrence du pont de Québec, mais cette épreuve sera en grande partie responsable des difficultés financières auxquelles elle devra faire face par la suite». [3]

Malgré les facilités que procure aux automobilistes la voie carrossable du pont de Québec, on doit tout de même dire qu'en raison des tarifs imposés pour le passage des véhicules sur le pont, ce dernier sera considéré pendant vingt-quatre ans comme un épouvantail pour les gens de la rive nord qui ne se rendront sur la rive sud qu'en cas de grande nécessité seulement. Les habitants de la rive sud, beaucoup plus dépendants de la rive nord, l'utiliseront davantage.

---

[2]   Témoignage recueilli auprès de M. et Mme Georges Charest de New Liverpool.

[3]   Roger Bruneau, La petite histoire de la Traverse de Lévis, ministère des Transports, 1983 p. 40.

La cabane des signaleurs à la sortie sud du pont de Québec. À droite, sur la photo, l'un des signaleurs en devoir, M. Panthaléon Roberge.

(Photo Mme Bernadette Roberge Laflamme)

Le 3 avril 1930, l'honorable J.N. Francœur, député de Lotbinière, provoque un violent débat au parlement au sujet des taux de péage sur le pont qu'il considère beaucoup trop élevés. Il suggère de les réduire considérablement pour les cultivateurs et d'exempter de payer tous les passagers des véhicules puisqu'il considère que le tarif est beaucoup trop dispendieux pour ceux qui voyagent avec plusieurs membres de leur famille.

À la sortie nord du pont de Québec, la voie carrossable conduisait au kiosque de perception qui était situé sur le terrain où l'on retrouve aujourd'hui l'aquarium de Québec.

(Photo Georges Charest)

L'une des premières voitures à circuler sur le pont de Québec le 22 septembre 1929. De g. à d. Antonio Demers, Lucien Pichette, Gérard Rousseau, propriétaire de la voiture de marque Star, Gédéon Douville et Alexandre Barbeau.

(Photo Mme Hortense Plante)

Vue d'ensemble des aménagements à la sortie nord du pont de Québec.

L'Honorable Galipeault, ministre des Travaux Publics du gouvernement Taschereau, lui réplique que le gouvernement a assumé de lourdes obligations en passant un contrat avec Ottawa pour construire une voie carrossable qui coûtera bientôt un million de dollars, et qu'il est juste qu'un tarif raisonnable soit imposé à ceux qui utilisent la route du pont.

Le 31 mars 1942, l'assemblée législative du Québec, adoptant en troisième lecture le bill 18, supprime les péages sur les ponts provinciaux. À cette occasion, M. Onésime Gagnon, alors membre de l'Opposition, ne manque pas l'occasion de rappeler aux membres du gouvernement Godbout que l'Union Nationale a toujours réclamé l'abolition de ces péages. Le lendemain, 1er avril 1942, M. J. Arthur Mathewson, trésorier de la province, prononce son discours sur le budget dans lequel il déclare un surplus de 1 577 000 $. Ce surplus budgétaire important vient ainsi fournir une explication à cette mesure sociale adoptée la veille par le gouvernement libéral de l'époque.

Nous reproduisons ici un extrait de cette loi qui énumère la liste des ponts provinciaux où le péage est ainsi aboli:

Ponts provinciaux.

«**84.** Sont déclarés ponts provinciaux à la charge de la province les ponts suivants:

Batiscan, (à Batiscan);

Bellefeuille, (à Saint-Eustache);

Belœil — Saint-Hilaire, (entre Belœil et Saint-Hilaire);

Chicoutimi, (entre Sainte-Anne et Chicoutimi);

David, (entre Sainte-Rose-de-Laval et Saint-Louis-de-Terrebonne);

David — Laperrière, (entre Saint-François-du-Lac et Pierreville);

De l'Île d'Orléans, (entre Saint-Grégoire et l'Île d'Orléans);

De Québec, (entre Sainte-Foy et Saint-Nicholas);

Du Bout de l'Île, (entre Pointe-aux-Trembles et Repentigny);

Galipeault, (entre Sainte-Anne-de-Bellevue et l'Île Perrot);

Honoré Mercier, (entre Ville Lasalle et Caughnawaga);

Plessis-Bélair, (entre Sainte-Rose-de-Laval et Sainte-Thérèse-de-Blainville);

Monseigneur Ross, (entre Gaspé village et Gaspé Harbour);

Sainte-Anne-de-la-Pérade, (entre la paroisse et le village de Sainte-Anne-de-la-Pérade);

Taschereau, (entre Vaudreuil et l'Île Perrot;

Thompson, (sur le bras du lac DeMontigny qui rejoint le lac Lemoine);

Turcotte, (entre Sorel et Saint-Joseph-de-Sorel);

Yamaska, (entre Yamaska et Yamaska-Ouest).

Billets inutilisés.

5. Le ministre des travaux publics est autorisé à rembourser le prix de tout billet inutilisé, vendu pour le paiement de péages sur les ponts provinciaux, à la condition que ces billets lui soient présentés pour remboursement avant le premier octobre 1942.

1920, c. 5.
a. 5, ab.

6. L'article 5 de la loi 10 George V, chapitre 5, est abrogé.

1921, c. 9,
a. 5, ab.

7. L'article 5 de la loi 11 George V, chapitre 9, est abrogé.

Le 2 avril 1942, M. Yvan Vallée, sous-ministre des Travaux Publics, communique le message suivant aux différents médias d'information:

«Le public est sans doute au courant du fait que la loi supprimant à partir du 1er avril les péages sur les ponts provinciaux a été sanctionnée. Le ministre des Travaux Publics tient à informer le public que le service des ponts de péage de son ministère, à Québec, peut dès maintenant recevoir

toute demande de remboursement de livrets, mais que ces demandes devront se limiter aux livrets annuels vendus depuis le 1ᵉʳ juillet 1940. Il tient en outre à rappeler au public que toute réclamation doit être faite avant le 1ᵉʳ octobre 1942. Le remboursement sera fait au prorata du prix du livret. Il est donc inutile de faire tenir au ministère des Travaux Publics des billets détachés ou des billets faisant partie de livrets mensuels ou hebdomadaires ou des livrets vendus avant le 1ᵉʳ juillet 1940.»

Cette dernière mesure, liée à l'augmentation considérable des automobiles au cours des années '40, causera un épineux problème de débit de circulation sur le pont, en raison de l'étroitesse de la voie carrossable.

En 1949, le gouvernement fédéral prend la décision d'enlever une voie ferrée sur le pont de Québec et de déplacer la seconde de quelques pieds de façon à permettre l'élargissement de la voie carrossable qui sera portée à 9,15 mètres de largeur. Ces travaux, qui se termineront en 1951, permettront également au ministère de la Voirie d'ajuster le réseau routier aux environs du pont à sa nouvelle capacité de débit. C'est ainsi que la route appelée aujourd'hui 132 sera construite. Cette nouvelle route que l'on qualifie à l'époque de large, moderne et pratique, a l'avantage d'être pavée par un nouveau procédé où l'on a mélangé du goudron à trois pouces de gravelle. C'est cette même route qui sera portée à quatre voies de largeur à l'été 1985.

Ces modifications majeures apportées à la voie carrossable du pont de Québec ne régleront le problème que d'une façon temporaire puisqu'au début des années soixante, les habitants de la région de Québec sont de nouveau aux prises avec un problème quotidien encore plus grand d'embouteillage d'automobiles aux heures de pointe.

Le 2 octobre 1962, M. Arthur Branchaud, ingénieur en chef au Ministère de la Voirie, présente un mémoire à l'honorable Bernard Pinard, ministre de la Voirie, à la suite d'études intensives réalisées par des ingénieurs spécialistes concernant cet épineux problème.

Dans son mémoire, M. Branchaud démontre clairement l'ampleur du problème:

«Tous les usagers du pont de Québec savent par expérience que les moyens actuels de communication entre les deux rives du St-Laurent sont devenus nettement insuffisants. Tous nos recensements de circulation le prouvent et cette situation ne peut que s'aggraver, si l'on considère que le volume de circulation s'accroît annuellement de plus de 8 %, en dépit des conditions restrictives existantes. Le parachèvement de la route Transcanadienne et du réseau routier régional qui s'y relie directement ou indirectement fera monter ce taux en flèche et ajoutera encore à la confusion et à l'encombrement. À l'heure présente, seule la présence de nombreux constables de la police provinciale nous permet de maintenir une circulation à peine convenable.

Il ressort de ces faits qu'il faut songer dès maintenant à doubler et même tripler la capacité de circulation entre les deux rives. À quel endroit et par quels moyens?»

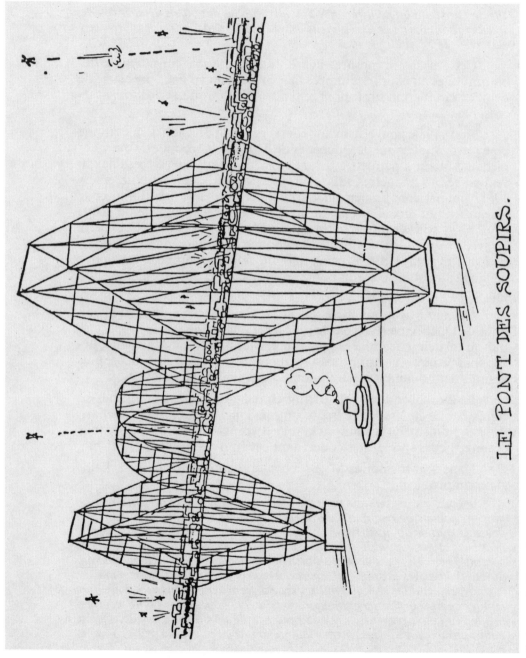

LE PONT DES SOUPIRS.

Caricature de Hunter tirée du journal «Le Soleil» du 23 octobre 1965 et démontrant de façon humoristique les problèmes de circulation au pont de Québec. Cette caricature est reproduite avec la permission de Hunter.

La solution préconisée par M. Branchaud et son équipe pour solutionner ce problème une fois pour toutes s'énonce ainsi:

«Après étude des divers aspects du problème, nous avons convenu que la solution la plus valable serait de construire un nouveau pont dans un corridor dont les limites extrêmes se situeraient à 800 pieds en amont et à 500 pieds en aval du pont existant.

Cette solution permettrait l'intégration rationnelle du présent «pont de Québec» aux réseaux nord et sud des grandes voies routières de la région de Québec. Qu'on le veuille ou non, et indépendamment de notre volonté, le site du pont de Québec restera toujours le lien naturel des grandes voies de communications convergeant vers Québec de tous les points cardinaux.»[4]

Pour donner suite à cette recommandation, le gouvernement Lesage annonce le 11 juillet 1963 sa décision de construire un pont routier suspendu à six voies carrossables à 650 pieds en amont du pont de Québec. Vingt jours plus tard, la ville de Ste-Foy approuve le projet du pont malgré les réticences de plusieurs municipalités voisines.

Sa mise en chantier débute au mois d'avril 1965 et au mois de janvier 1968, on procède à la construction des pylônes. Le 7 avril 1969, c'est la mise en place et le déroulement des fils d'acier qui devront supporter le tablier du pont. Le 16 octobre 1969, on effectue l'élévation de la première section métallique du tablier du pont. Chacune de ces sections pèse 270 tonnes et mesure 80 pieds de long par 92,5 pieds de large et 23 pieds d'épaisseur. Le 19 mai 1970, on pose la dernière section du tablier métallique et le 15 juillet de la même année on commence l'alignement de la première des 1 100 dalles de béton sur le tablier du pont. Chacune de ces dalles mesure 38 pieds de large par 8 pieds de long et pèse 8 tonnes. Toujours la même année, le 24 septembre, on procède au pressage de la première couche de béton bitumineux. Enfin, le 7 novembre 1970, c'est jour de fête puisque le premier ministre Robert Bourassa procède à l'ouverture officielle du pont que l'on nomme «Pierre Laporte» en hommage au ministre du Travail assassiné le 17 octobre précédent au cours de ce qu'il est convenu d'appeler «la crise d'octobre». [5]

---

[4]   Mémoire de M. Arthur Branchaud, ministère de la Voirie, 1962.

[5]   Le Soleil, 6 novembre 1970.

CHAPITRE X

LA FICHE TECHNIQUE DU PONT DE QUÉBEC

Pour construire le pont de Québec, les ingénieurs ont opté pour le système cantilever puisque ce dernier permet des portées plus grandes entre les piliers que les ponts ordinaires à treillis métalliques et offre plus de garanties de solidité pour les poids lourds que les ponts suspendus par câbles. Étant donné que le pont de Québec a été construit en fonction d'une circulation ferroviaire double, il était tout à fait justifié de choisir le principe du cantilever.

Afin de donner une description qui soit simple et précise à la fois des caractéristiques du cantilever, je me permets d'utiliser celle qu'en donnait l'Abbé Henri Simard dans son volume intitulé «Propos Scientifiques»:

«Imaginons deux piliers en maçonnerie installés sur le fond du fleuve et aussi rapprochés l'un de l'autre que le permet la profondeur croissante de l'eau. Sur chacun de ces piliers on dispose une immense structure métallique formée de poutres d'acier entrecroisées et se comportant comme un tout rigide indéformable. Cette structure se compose de deux quadrilatères parallèles à diamètres inégaux, réunis par des poutres transversales et dont la distance est égale à la largeur du pont. Les deux petits diamètres de ces quadrilatères constituent les poteaux qui s'appuient sur les piliers, et le plancher qui unit les deux plus grands sera le tablier du pont.

Si l'on suppose alors une construction de ce genre sur chacun des piliers, on réalise quatre bras métalliques, dont deux s'avancent vers le centre de la rivière, mais sans se rejoindre, et dont les deux autres se dirigent vers le rivage.

Si les deux bras de ces structures étaient de même longueur et de poids égaux, elles se tiendraient d'elles-mêmes en équilibre sur les piliers. Mais il n'en est pas ainsi: les bras des cantilevers qui se dirigent vers le milieu de la rivière sont plus longs et plus lourds que ceux qui vont vers les rivages. Comme les deux premiers seront unis par une travée centrale et que celle-ci, outre son propre poids, devra supporter la charge de tout ce qui passera sur le pont, il en résulte un surcroît de poids qui tend à faire basculer les cantilevers

vers le fleuve. C'est pour lutter contre cette surcharge que l'on fixe les deux autres bras à des piliers d'ancrage installés sur le rivage; le mouvement de bascule ne peut se produire que si ces piliers d'ancrage sont arrachés de leur fondation. On peut donc dire que toute la solidité du pont dépend de ces piliers, de leur masse, de leur poids et de la manière dont ils sont fixés aux bras de la structure métallique; ils jouent, en quelque sorte, le rôle des poids qu'il faut placer dans l'un des plateaux d'une balance pour équilibrer une charge placée dans l'autre plateau.

D'après ce que nous venons d'expliquer, et qu'il est difficile de rendre clair en l'absence de toute vignette ou de tout schéma, un pont cantilever n'est rien autre chose qu'un système à bascule compensé par un ancrage sur chacune des rives du fleuve. Relions maintenant les piliers d'ancrage aux sommets des falaises par des passerelles métalliques, et le pont est complété.

Le pont cantilever proprement dit s'étend d'un pilier d'ancrage à l'autre; cette longueur comprend les deux structures métalliques s'appuyant sur les piliers principaux et la travée centrale qui les joint. Chaque structure se compose de deux bras, celui qui se dirige vers le centre du fleuve et qu'on appelle le bras cantilever, et celui qui s'avance vers le rivage, appelé le bras d'ancrage.»[1]

Comme l'indique la liste qui suit, le pont de Québec est le plus long pont cantilever au monde. Ce qui en fait sa caractéristique principale, c'est la distance de 1 800 pieds qui sépare les deux piliers principaux et qui en fait une des merveilles du monde.

Les ponts de type «Cantilever»

Pont	Travée principale en pieds	Parachèvement Date	Emplacement
1. Premier pont de Québec	**1 800**	**1917**	**Québec, Canada**
2. Firth of Forth — 2 travées de	1 700	1890	Queenferry, Écosse
3. Delaware River	1 644	1971	Chester, Pennsylvanie Bridgeport, N. Jersey
4. Greather New Orleans	1 575	1958	Nv.-Orléans, Louisiane
5. Howrah	1 500	1943	Calcutta, Inde
6. Transbay	1 400	1936	San Francisco, Californie
7. Bâton-Rouge	1 235	1968	Bâton Rouge, Louisiane
8. Tappan Zee	1 212	1955	Tarry Town, N.Y.,
9. Longview	1 200	1930	Riv. Columbia, Washington
10. Quensboro	1 182	1909	New York, N.Y., E.U.
11. Jacques-Cartier	**1 097**	**1930**	**Montréal, Canada**

[1]   Abbé Henri Simard, Propos scientifiques, 1920, p. 5 à 8.

Statistiques

STATISTIQUES

Dimensions	en mètres	en pieds
Longueur de la travée centrale suspendue	195,07	640
Longueur de chaque bras cantilever	176,78	580
Longueur de chaque bras d'ancrage	156,97	515
Longueur totale du pont (d'un pilier d'ancrage à l'autre)	987,24	3,239
Longueur de la travée d'approche nord	82,29	270
Longueur de la travée d'approche sud	42,67	140
Distance entre les piliers principaux	548,64	1 800
Largeur du pont (à l'intérieur de la structure)	26,82	88
Largeur du pont (à l'extérieur de la structure)	30,48	100
Hauteur de la travée centrale suspendue	33,52	110
Hauteur à l'extrémité du bras cantilever	21,33	70
Hauteur à l'extrémité du bras d'ancrage	21,33	70
Hauteur de la poutre principale (au-dessus du pilier principal)	94,48	310
Hauteur libre de la travée centrale suspendue:		
à marée haute:	45,72	150
à marée basse:	52,42	172
Hauteur du pilier principal sud	39,01	128
Hauteur du pilier principal nord	32,91	108
Hauteur du pilier d'ancrage sud	42,97	141
Hauteur du pilier d'ancrage nord	48,76	160

Quantités	en mètre^3	en verges^3
Volume du pilier principal nord	24366,3	31,870
Volume du pilier principal sud	29266,3	38,279
Volume du pilier d'ancrage nord	13567	17,745
Volume du pilier d'ancrage sud	12294	16,080

Poids	en tonnes mét.	en tonnes
Poids total de la travée centrale	4985	5496
Poids d'un bras d'ancrage excluant le poteau principal	10376	11440
Poids d'un poteau principal	5042,92	5560
Poids d'un bras cantilever excluant le poteau principal	10884	12000
Poids des travées d'approche	1179	1300
Poids total de la superstructure d'acier	59862	66000
Poids total des goujons	1560	1730

Nombre de rivets: 1 066 740

Coût du pont: 25 millions $

DATES DE RÉALISATION

Contrat accordé à la Compagnie Davis pour les travaux de sous-structure	10 janvier 1910
Contrat accordé à la St. Lawrence Bridge Co. pour la construction de la superstructure	4 avril 1911
Pilier d'ancrage nord	14 novembre 1913
Pilier principal nord	7 mai 1914
Travée d'approche nord	11 novembre 1913
Bras d'ancrage nord	8 juin 1915
Bras cantilever nord	13 novembre 1915
Pilier d'ancrage sud	28 novembre 1913
Travée d'approche sud	30 juillet 1914
Pilier principal sud	1er juillet 1914
Bras d'ancrage sud	8 novembre 1915
Bras cantilever sud	septembre 1916
Tentative d'installation de la première travée centrale	11 septembre 1916
Installation de la seconde travée centrale	20 septembre 1917
Premier train sur le pont	17 octobre 1917
Premier train régulier à traverser le pont	3 décembre 1917
Inauguration officielle du pont	22 août 1919
Ouverture de la voie carrossable	22 septembre 1929

La peinture

On ne pourrait terminer cette fiche technique impressionnante du pont de Québec sans parler de la peinture nécessaire pour le recouvrir.

Une équipe de 25 à 30 hommes travaillent chaque été du mois de mai jusque vers le 15 septembre pour repeindre environ 1/5 du pont de Québec.

Pour exécuter ce travail, les peintres à l'emploi du Canadien National utilisent d'abord de la peinture orange, en guise de protection contre la rouille et une couche de fond de couleur brune. Quant à la couche de surface qui est de couleur verte, celle-ci nécessite la vaporisation au fusil d'environ 1 500 gallons de peinture. À chaque année, un grand total d'environ 2 000 gallons de peinture sont ainsi nécessaires pour recouvrir 1/5 du pont. Une simple multiplication nous permet de savoir que pour recouvrir le pont en entier, l'on doit utiliser environ 10 000 gallons de peinture orange, brune et verte. [2]

Le boulon d'or

Tout le monde a entendu parler un jour ou l'autre de la rumeur persistante qui veut qu'au moment de terminer les travaux de construction du pont de Québec, l'on aurait procédé à la pose d'un boulon en or.

La légende veut également que plusieurs personnes aient fait des recherches en vain, au fil des ans, pour tenter de le découvrir.

En ce qui me concerne, la question de l'existence de ce boulon en or m'a été posée à plusieurs reprises et je l'ai posée aussi plusieurs fois à d'autres personnes, dont certains ont été des témoins oculaires de la fin des travaux au pont.

Les versions à ce sujet sont très contradictoires: certaines personnes sont persuadées qu'un boulon d'or a effectivement été posé sur le pont de Québec. Parmi ces gens, une certaine catégorie pense que le boulon en question a été découvert et retiré du pont; tandis que d'autres croient que le boulon est toujours présent sur le pont de Québec.

D'autres personnes que j'ai interrogées sont catégoriques et considèrent que le boulon d'or n'a jamais existé et que tout ce qui a été dit à ce sujet tient de la pure légende. Il est vrai qu'au cours de mes recherches, je n'ai jamais retrouvé quoi que ce soit à ce sujet dans toute la littérature que j'ai consultée mais cela ne prouve rien. Je m'en remets donc au lecteur, en le laissant libre de penser ce qu'il veut à ce sujet tout en regrettant de ne pouvoir apporter une réponse plus précise.

---

[2]   Propos recueillis au cours du mois de novembre 1985 auprès de M. Raymond Drolet, chef des ponts et bâtiments au Canadien National.

Compresseur utilisé en 1929 pour peinturer le pont de Québec.

(Photo: Canadien National)

Les boulons de la travée centrale

Au chapitre VII du présent volume, nous avons vu que les derniers moments de l'installation de la travée centrale ont été marqués par la pose de huit puissants boulons de 10 pouces de diamètre et de 4 pieds de longueur qui liaient définitivement la travée centrale aux deux bras cantilevers. L'installation de ces 8 boulons s'est déroulée entre 3:28 heures et 4:00 heures de l'après-midi le 20 septembre 1917.

Il peut être intéressant de savoir que ces huit boulons ont été remplacés pour la première fois au cours de la période du 5 novembre au 3 décembre 1985 par la compagnie Dominion Bridge de Montréal. Depuis un certain nombre d'années, on constatait que l'expansion du pont ne se faisait pas adéquatement et c'est ce qui explique que ces travaux ont été rendus nécessaires.

Pour effectuer ces travaux, la compagnie Dominion Bridge utilisait un équipement très sophistiqué qui continuait d'assurer pendant les travaux une sécurité complète sur le pont. Cet appareillage spécial faisait en sorte que la travée centrale continuait à être retenue de la même façon même lorsqu'un boulon était enlevé.

La circulation automobile n'a aucunement été interrompue au cours de la période de temps qu'ont duré les travaux et seuls les trains, pendant les jours de la semaine, devaient réduire leur vitesse à 5 mph afin d'éviter au pont des vibrations trop fortes. Il leur était de plus interdit d'appliquer les freins sur le pont. Comme les travaux cessaient au cours des jours de la fin de semaine, les trains pouvaient alors reprendre leur vitesse normale. [3]

L'entretien annuel du pont de Québec

Le pont de Québec est soumis annuellement à une série de vérifications en profondeur qui s'échelonnent sur une période de deux mois. Cette période permet aux inspecteurs responsables de passer en revue toutes les constituantes du pont sans exception. Ces travaux de vérifications sont exécutés par une équipe de quatre hommes travaillant sous la responsabilité de M. Paul Béchamp, ingénieur au département d'ingénierie du Canadien National à Montréal.

De ces vérifications, découle une liste de travaux à exécuter, liste à laquelle la Compagnie s'empresse de donner suite si l'on pense que le Canadien National consacre annuellement un montant variant entre 150 000 $ et 200 000 $ pour les différents travaux d'entretien du pont de Québec.

Ces travaux, pour la plupart, sont exécutés à la partie inférieure du pont afin de lui assurer une sécurité parfaite. Il ne faut donc pas

---

[3] Propos recueillis le 3 janvier 1986 auprès de M. Raymond Drolet, chef des ponts et bâtiments au Canadien National.

juger de l'état sécuritaire du pont uniquement d'après son apparence extérieure si l'on pense à toute la rouille qui envahit à chaque année plusieurs de ses pièces constituantes. [4]

Quelques incidents survenus au pont

Un déraillement sur le pont

Depuis sa construction, le pont de Québec n'a eu à subir qu'un seul déraillement de train qui s'est produit le 20 février 1965.

L'accident est survenu vers 2 heures du matin au moment où le train en question traversait le pont du sud au nord. C'est le sixième wagon de ce convoi de marchandises qui a quitté la voie ferrée et a été traîné hors des rails sur une distance de 3/4 de mille pour reprendre de lui-même sa position normale. La faible vitesse du train a pu ainsi éviter la catastrophe ne causant des dommages qu'à 2 800 dormants qui ont dû être remplacés. Pendant la semaine qu'ont duré les réparations tous les trains ont dû circuler par la rive nord du fleuve. [5]

Un navire heurte la structure du pont

Dans la nuit du vendredi au samedi 20 décembre 1980, le cargo grec «Athanasia Comninos» entrait en collision avec la structure du pont de Québec. Pris au piège des glaces entre 3 heures et 4 heures du matin, circulant en direction ouest, le cargo aurait subi simultanément une panne de moteur.

Entraîné dans une direction différente par l'embâcle, le cargo est presque venu s'appuyer sur le pilier nord du pont. C'est à la marée montante que la cabine de pilotage, les mâts, les instruments de radar et de communications ont été rasés, de même que la partie supérieure de la cheminée, alors que le bateau dérivait sous le bras cantilever nord du pont. Les deux remorqueurs du port de Québec venus à sa rescousse ont dû attendre la marée baissante pour tirer l'Athanasia de son piège de glace.

Comme le pont fut également endommagé, des inspecteurs du Canadien National ont été appelés pour vérifier si la structure était encore sécuritaire avant de donner le feu vert au passage des convois ferroviaires. Le soir même, le train «Rapido» en provenance de Montréal était autorisé à franchir le pont à la vitesse de 5 mph mais après avoir pris la précaution de faire descendre tous ses passagers à Charny. Ces derniers furent conduits à la gare de Ste-Foy par autobus en empruntant le pont Pierre-Laporte. Seuls les employés sont demeurés

---

[4] Propos recueillis le 3 janvier 1986 auprès de M. Raymond Drolet, chef des ponts et bâtiments au Canadien National.

[5] Le Soleil 22 février 1965.

sur le train pour franchir le pont. Mon père, M. Laval L'Hébreux était le chef de train de ce convoi.

La circulation automobile, quant à elle, a pu reprendre son cours normal dès 18:30 heures en ce 20 décembre, après que la solidité de la voie carrossable ait été vérifiée par des ingénieurs du CN et des employés du ministère des Transports. [6]

Les pièces d'acier endommagées du pont ont pu être remplacées environ un mois plus tard après qu'une commande fut placée à la Carnegie Steel de Pittsburg pour fabriquer de nouvelles pièces.

Presque deux ans jour pour jour, un autre bâtiment grec, par coïncidence du même nom, le «Athanasia II» éprouvait de grandes difficultés à franchir le secteur des ponts, et les services de navigation durent prendre des mesures d'urgence pour remettre le bateau dans sa course normale, en direction de Montréal et éviter ainsi que le navire heurte la base du vieux pont. [7]

Un autre incident du genre...

Quelques semaines plus tard, le 10 février 1982, un pétrolier de Toronto, le «Texaco Brave» qui faisait route vers Québec, se fit coincer dans l'épais champ de glace charrié par la marée baissante et fut déporté du côté nord, frôlant un pilier du pont de Québec, et arrachant son mât de radar. Le pont qui n'a subi aucun dommage cette fois n'a été fermé à la circulation automobile qu'une quinzaine de minutes, le temps que passe un autre bateau, le «Triton» qui se trouvait lui aussi en mauvaise posture, en travers du courant, la proue dirigée vers la rive nord. On craignait que le vraquier ne vienne en collision avec le pont et l'endommage sérieusement.

Une quinzaine de minutes plus tard, le «Triton» passait sans encombre sous le pont, à faible distance cependant du pilier nord et toujours de travers. [8]

Quelques appellations...

Le Pont des blasphèmes

La légende veut que des témoins oculaires du temps, contemplant les travaux du pont de Québec et de ses approches étaient horrifiés et scandalisés des imprécations blasphématoires de ses constructeurs, ouvriers ou autres.

Un prêtre informé par ses fidèles se serait rendu sur place et leur aurait dit: «Tant que vous blasphémerez, jamais ce pont ne se bâtira».

---

[6]   Le Soleil 22 décembre 1980.

[7]   Le Soleil 27 décembre 1982.

[8]   Le Soleil 11 février 1982.

Il semble toujours selon la légende que pour la construction du deuxième pont, les blasphémateurs abondaient toujours sur les chantiers du pont de Québec. Le prêtre se serait rendu une autre fois sur les lieux de la tragédie, aurait discuté avec les autorités du pont et leur aurait mentionné qu'une œuvre de génie humain ne peut se réaliser en bravant et en injuriant Dieu.

En 1917, aucun blasphémateur n'aurait été toléré sur les chantiers du pont de Québec avec l'heureuse issue que l'on connaît. [9]

Le Pont sanglant

Se référant aux deux catastrophes majeures qui marquèrent les travaux de construction du pont de Québec et aux nombreuses victimes qui y perdirent la vie, le pont de Québec fut également surnommé «le Pont sanglant». Encore aujourd'hui, il demeure fidèle à cette appellation, si l'on pense à toutes ces personnes découragées de la vie, qui choisissent le pont de Québec pour y terminer leurs jours.

CONCLUSION

En 1986, le pont de Québec est entré dans sa soixante-neuvième année d'opération. Il demeure toujours fidèle à sa mission d'assurer les communications terrestres entre les deux rives du Saint-Laurent. Pour ce faire, le Ministère des transports du Québec verse annuellement un montant fixe de 25 000 $ au Canadien National pour l'utilisation du pont de Québec comme voie carrossable.

Depuis 1970, il semble apprécier la présence à son flanc ouest du «jeune» pont Pierre-Laporte venu le soulager dans sa mission qui devenait de plus en plus lourde à porter.

Toute la région de Québec doit être fière de posséder cette œuvre architecturale unique qui fait trois fois le poids de la tour Effeil et sept fois sa hauteur.

Nous comprenons mieux maintenant pourquoi les gens qui ont vu construire le Pont de Québec n'ont pas hésité à le qualifier de «huitième merveille du monde».

---

[9] Légende racontée par M. Laval Tardif qui habite à Neuville.

RÉFÉRENCES BIBLIOGRAPHIQUES

BRUNEAU, Roger, La petite Histoire de la Traverse de Lévis, Québec, Ministère des Transports, 1983

St. Lawrence Bridge Co., The Quebec Bridge carrying the Transcontinental line of the Canadian Government Railways over the St. Lawrence River near the city of Quebec, Canada, 1918

Department of Railways and Canals Canada, The Quebec Bridge over the St. Lawrence River, Report of the Government Board of Engineers, 1919

CADRIN, Gaston, Les activités économiques en zone littorale, Lauzon, GIRAM, Coll: le fleuve et sa rive droite, 1984.

D'ASTOUS, Adrien, Revue Canadian Rail, sept. 1978, n° 320.

TREMBLAY, Rosaire et Thérèse DALLAIRE, Ponts du Québec, ministère des Transports, Québec.

SIMARD, Abbé Henri, Propos scientifiques, 1920.

GAUVIN, C.E., Rapport de l'ingénieur C.E. Gauvin, Documents de la Session (N° 7) A.D. 1896.

BÉLANGER, Mgr René, L'avion à la conquête de la Côte-Nord, éd. La Liberté, 1977.

BLANCHARD, Raoul, L'est du Canada Français, t. 1, Montréal, Beauchemin, 1935.

ROY, Joseph Edmond, Histoire de la Seigneurie de Lauzon, vol. 11, Lévis, Mercier et Cie, 1897, LVI.

SERRELL, Edward William, Rapport sur un pont suspendu projeté pour le passage d'un chemin de fer et pour la traverse du fleuve St-Laurent à Québec, Québec, Augustin Côté, 1852.

RIOUX, Albert, Une paroisse d'avenir St-Romuald d'Etchemin, La Chambre de Commerce St-Romuald d'Etchemin, janvier 1943.

Rapport du Ministère de la Voirie, Gouvernement du Quebec, 1936-37.

DUGGAN, G.H., Quebec Bridge, sept. 1916.

BERGER, Raymond, La «huitième merveille du monde», revue des Filles d'Isabelle, 1977.

Almanach moderne, éclair, 1983.

Journal «Le Rond-Point», 21 septembre 1977.

LACHEVROTIÈRE, André de, La voix nationale, août 1953.

Rapport de la Commission Royale d'enquête sur la tragédie du Pont de Québec, Gouvernement fédéral, mars 1908.

CHAMPAGNE, Pierre, Début d'un roman-fleuve, Le Soleil, 28 février 1970.

Statuts de Québec, 19 Georges V, 1942, Chap. 6.

Statuts de Québec, 6 Georges VI, 1942, Chap. 44.

HUNTER, Raoul, Hunter caricaturiste, éditions de l'empreinte, 1985.

Rapport de l'ingénieur Arthur Branchaud, Ministère de la Voirie, Québec, 2 oct. 1962.

Journal Le Soleil

3 oct. 1900	12 sept. 1916	23 août 1919
30 août, 1907	13 sept. 1916	23 sept. 1929
31 août 1907	15 sept. 1917	3 avril 1930
2 sept. 1907	17 sept. 1917	11 sept. 1963
3 sept. 1907	18 sept. 1917	22 février 1965
4 sept. 1907	19 sept. 1917	6 nov. 1966
6 sept. 1907	20 sept. 1917	22 déc. 1980
7 sept. 1907	21 sept. 1917	11 fév. 1982
10 mars 1908	17 oct. 1917	27 déc. 1982
8 sept. 1916	21 août 1918	3 sept. 1983
11 sept. 1916	22 août 1919	

Journal L'Événement

2 oct. 1900	15 sept. 1916	21 sept. 1917
3 oct. 1900	13 sept. 1917	24 sept. 1917
17 juin 1901	14 sept. 1917	3 déc. 1917
18 juin 1901	15 sept. 1917	22 août 1918
10 mars 1908	17 sept. 1917	22 août 1919
6 sept. 1916	18 sept. 1917	23 août 1919
11 sept. 1916	19 sept. 1917	20 sept. 1929
12 sept. 1916	20 sept. 1917	

Journal La Presse

3 oct. 1900	10 mars 1908	1 er avril 1942
30 août, 1907	11 sept. 1916	2 avril 1942
31 août, 1907	12 sept. 1916	
3 sept. 1907	21 sept. 1917	

Le magasine de la Presse
13 fév. 1929

L'Action catholique
23 sept. 1929
5 juillet 1951

The Standard
23 sept. 1916

La Patrie
10 mars 1908

TABLE DES MATIÈRES

Achevé d'imprimer à Montmagny
par les travailleurs des ateliers Marquis Ltée
en décembre 1988